한국관련 '滿鐵' 자료목록집

한국정신문화연구원 편

간행사

남만주철도주식회사(이하 만철로 약칭)는 일본이 1907년에 설립하여 중동철도의 일부를 경영하게 했던 회사입니다. 그렇지만 만철은 단지 일개 회사가 아니라 정치 행정상의 여러 권리를 가짐으로써 실제로는 정부와 같은 역할을 하였습니다.

만철의 도서관은 그 자료의 양이 방대하고 희귀자료가 많기 때문에 일찍부터 관계된 연구자들의 많은 주목을 받아왔습니다. 그러나 아직 중국에서의 자료개방이 원활하지 않은 관계로 많은 사람들이 궁금해하면서도 어떤 자료가 있는지에 대하여 자세한 상황을 알지 못하는 실정이었습니다. 더군다나 만철도서관에서는 한국 그리고 한국인에 관계된 많은 자료들이 있기에 한국학의 연구자로서는 만철 도서관의 자료를 확인하는 것이 아주 긴요한 일이 되었습니다.

이에 본 연구원에서는 만철도서관의 자료가 소장되어 있는 대련시 도서관 및 대련대학과 협력하여 우선적으로 만철도서관에 소장된 한국관계 문헌의 목록만이라도 파악을 하고자 만철도서관 소장자료 목록 조사작업을 시작하게 되었습니다. 2003년도부터 대련대학의 유병호 교수와 협의를 시작하여 2004년 2월에는 정식으로 공동프로젝트를 발주하여 사업을 시작하게 되었고 그 결과 유병호 교수에 의하여 작성된 목록이 이제 햇빛을 보게 되었습니다. 이 목록집이 그동안 많은 사람들이 궁금해하던 만철도서관 자료에 대하여 조금이라도 궁금증을 해소해주기를 기대합니다. 나아가서 중국이 좀 더 적극적으로 자료를 개방하여 학문적 발전에 기여하여 주기를 또한 기대합니다.

그간 본 사업을 추진하며 많은 수고를 하여준 본원의 권희영 연구처장, 대련대학의 유병호 교수의 노고를 치하하여 본 목록집을 출발점으로 하여 만철도서관 소장 자료에 대하여 본격적인 연구가 이루어지기를 기대합니다.

2004. 12
한국정신문화연구원
원장 윤덕홍

"滿鐵"大連圖書館 및 所藏資料解題

해제 : 劉秉虎*

  러일전쟁이 종결된 다음 일본은 「포츠머스조약」과 「滿洲善后協約」에 근거하여 러시아가 남만에서 가진 일체의 권리를 계승하였다. 일본은 먼저 전시의 군사지휘기관인 관동총독부를 관동도독부로 고쳐 滿蒙을 경영하는 일체 사무를 책임지게 하였다. 잇따라 1907년에 남만주철도주식회사(이하 만철이라고 약칭함)를 설립하여 러시아가 경영하던 중동철로의 일부, 즉 長春으로부터 大連에 이르는 철로를 경영하였다. 만철은 철로 외에도 군사, 외교 등의 권리와 만철부속지의 정치, 경제, 행정 등을 장악함으로서 실지로는 일본정부를 대신하여 중국정부 혹은 지방정부와 교섭하는 역할을 담당하였다. 때문에 만철은 세인들로부터 '만철왕국'이라고 호칭되기도 하였다.

  1907년 만철이 설립될 당시에 만철 이사를 담임한 전 동국제국대학교수 岡松參太郎은 滿洲資源館의 3층에 滿鐵調査部 圖書室을 설립하였다. 1908년에 이 도서실은 만철본사 인사과의 사무실로 옮겨졌다가 날로 늘어나는 조사부의 업무 수효를 충족시키지 못하자 岡松參太郎은 "만철부속에 동아에서 일류되는, 근대적 미가 있는 건축물을 갖춘 이상적인 도서관"을 설립할 계획을 제출하였다. 이에 따라 만철은 1912년 8월에 東公園 거리에 도서관 건물을 짓기 시작하여 1914년 8월에 제1기공사를 완성하고 만철본사 인사과 내에 있던 조사부 도서실을 옮기고 만철사원들에게 개방하였다. 1919년 9월에 제기공사, 즉 열람실 공사를 완성하고 10월에 정식으로 사회에 개방하는 동

---

* 대련대학 교수

시에 명칭을 "南滿洲鐵道株式會社圖書館"이라고 명명하였다. 1922년 6월 19일 만철은 제9호 社規에서 명칭을 "南滿洲鐵道株式會社大連圖書館"이라고 개정하였다.

만철은 社規에서 만철대련도서관(이하 만철도서관으로 약칭함)의 임무에 대하여 다음과 같이 명확히 규정하였다. 첫째, 고금중외의 도서자료를 광범히 수집하여 만철의 업무전개에 참고자료를 제공하는 동시에 사회에 제공하여 열람토록 한다. 둘째, 만철소속의 모든 도서관을 관리한다. (만철소속에는 모두 24개의 도서관이 있는데 奉天·瓦房店·大石橋·營口·鞍山·安東·遼陽·蘇家屯·鐵嶺·開原·四平街·公主嶺·長春·本溪·撫順 등지에 분포되어 있었는데 대련시내에는 대련도서관 외에 또 日出町·日本橋·伏見臺·近江町·埠頭·沙河口·南沙河口 등에 도서관이 있었다. 만철은 또 대련으로부터 장춘에 이르는 철도연선에 150개 도서열람실을 설치하고 流動書庫의 방법으로 열람시켰다.) 모든 만철소속 각 도서관의 업무는 대련도서관이 통일적으로 지도하였는데 만철이 존속한 40여 년간 대련도서관은 만철의 규정에 따라 소장도서를 이용하여 만철과 일본의 대외확장에 적극적인 기여를 하였다.

만철조사부는 대련도서관의 자료를 이용하여 많은 자료집을 편찬 출판하여 만철 각 기관에 제공하여 참고자료로 이용하였다. 예를 들면 『滿蒙叢書』, 『滿蒙全書』, 『滿鮮歷史地理研究』 등 동북에 관한 대형 총서를 편찬하였는데 이 총서들이 일본인들이 중국 동북의 자연지리와 역사연혁 그리고 물산자원과 풍속 및 사회상황을 파악하는 기초자료가 되었다.

대련도서관의 장서는 수량과 종류가 많기로 일찍부터 해내외 학자들의 주목을 끌었다. 일본의 草柳大藏은 『滿鐵調査部內幕』이란 책에서 "읽고 싶은 도서들이 마치도 소털과 같아 없는 것이 없다. 『마르크스 엥겔스전집』부터 보얼가의 『經濟年報』, 『레닌저작집』, 『1927년

제강』 등 책들도 소장되어 있다"고 하면서 다음과 같은 이야기를 적었다. "丸尾毅라고 하는 사람이 암스테르담의 한 여관에서 門久有文이라는 대위와 만철에 대하여 한담하였는데 이튿날 門久는 매우 소중히 여기는 책 한권을 꺼내 보이면서 귀국하면 육군성에 헌납하려 한다고 하였다. 丸尾가 보니 2년전에 그가 대련도서관에서 이미 본『大英帝國軍用地誌』였다. 丸尾의 말을 듣고 난 門久는 대련도서관의 장서가 풍부한 것에 놀라움을 금치 못하였다."

대련도서관에서는 다음과 같은 방법을 통하여 대량의 도서와 정보자료를 수집 보관하였다. 첫째, 정상적인 구입이다. 대련도서관에서는 매달 일정한 경비를 들여 서점으로부터 공개 출판된 도서들을 구입하였다. 설립 초기에 대련도서관에서는 오사카府立圖書館에 위탁하여 일본 내에서 공개 출판된 도서들을 선정 구입하다가 후에는 일본의 몇 개 서점을 선정하여 직접 도서를 구입하였다. 중국에서는 일본이 동북에서 발행하는 각종 신문과 잡지를 모든 구입하였는데 참고가치가 있는 교통·산업·정치·법률·공업, 특히 중국과 소련에 관한 도서는 가능한 한 모두 수집하였다. 1925년부터 1936년까지의 불완전한 통계에 의하면 도서구입에 매년 평균 2.38만 엔을 지출하였다.

둘째, 특별구입이다. 중국을 연구하는데 가치가 있는 문헌자료와 귀중한 고전문헌을 수집하기 위해 대련도서관에서는 모든 방법을 동원하였다. 처음에는 도서관에 촉탁제도를 두고 일본 동경제국대학 문학박사 羽田亨을 촉탁으로 위임하여 서양학자들이 중국을 연구한 자료를 수집하게 하고, 한학자 松崎鶴雄과 黑田原次郎, 島田好 등을 촉탁으로 위임하여 중국의 고대문헌을 조사 수집하게 하였다. 이들은 유럽과 중국 각지를 돌아다니면서 만철이 요구하는 각종 진귀한 자료들을 수집하였다. 대련도서관에서는 또 일본 외무성문화사업부에서 중국 각지에 파견한 요원과 만철이 각지에 설립한 사무소를 통해서도 도서문헌자료들을 수집하기 위해 노력하여 얼마 후부터는 중국어·영어·러시아어·일어로 된 대량의 도서자료들이 잇따라 들어올 수 있었다. 그중에서 귀중한 자료들이 수집된 예를 보면 1922년 6월에 소련 아무르軍區圖書館에 소장되어 있던 3만 여권의 도서자료를 구입하였는데, 그중에는 동북과 몽골 그리고 시베리아의 경제·산업·군사·역사·지리·문학 등과 관련된 도서들이 포함되어 있었다. 1923년 2월에 만철본사는 전문자금을 내어 동북지방의 지방지·지도·측량도·조사보고 등 지질자원과 세습풍속에 관한 자료들을 수집하기도 했다. 1925년 장춘주재 소련영사관 나포러프가 소장하고 있던 중국 변경문제에 관한 양문(洋文)도서 500권을 구입하였고, 같은 해에 또 북경에 있는 이탈리아공사관의 노스가 30여 년간 수집한 중국의 강역지도 600여 점과 일부 양문도서를 구입하였다. 1929년 만철본사는 10만 엔이라는 거금을 들여 북경·산동 등지로부터 중국 고대문헌을 구입하였는데 그중에는 海源閣이 소장하고 있던 宋나라 책 8종, 元나라 책 10여 종, 淸나라 雍正시기에 동활자로 인쇄한 『古今圖書集成』과 400여 권 등의 고대醫書가 포함되어 있었다. 당시 구입한 도서의 수량이 많고 진귀하였기 때문에 북경정부의 항의를 받자 대련도서관은 天津에 주둔하고 있는 일본군으로부터 구축함 한척을 빌어 비밀리에 대련의 군항까지 운송하였다. 1934년에 대련도서관에서는 또 산동의 海源閣으로부터 많은 귀중한 도서를 구입하였는데 대련도서관의 분류목록에는 750권이라고 등록되어 있다. 1943년 대련도서관에서는 북경으로부터 중국고대법제에 관계되는 서적과 滿文자료를 구입하였다.

셋째, 도서관에 도서자료를 기증할 것을 권장하였다. 대련도서관은 설립초기부터 사회 각계로부터 도서자료와 정보자료를 수집하는 것을 중시하였다. 대련도서관에서는 사람을 파견하거나 공문을 보내는 형식으로 일본이 중국과 동북 각지에 설립한 기관과 문화단체 및 정보기관에서 내부용으로 발행하는 모든 자료들을 수집하였는데 한

장짜리 전단으로부터 선전도화·사진 등에 이르기까지 빼놓지 않고 수집 정리하여 소장하였다. 도서자료를 기증하는 것을 장려하기 위해 대련도서관에서는 정규적으로 滿鐵社報에 기증자의 명단과 기증도서 목록을 공개하였는가 하며 또 만철지방과과장의 명으로 "감사패"를 발급하기도 하였다. 1925년 일본의 불교계 저명한 인사 大谷光瑞은 대련도서관에 중국고대도서 5,000여권과 양문도서 300여 책을 기증하였다. 1937년에 대련도서관에서 기증 받은 도서자료는 잡지 363종, 신문 17종에 달하였다.

넷째, 특권을 이용하여 강제적으로 '접수'하는 방법으로 도서자료를 약탈하였다. 만주사변이후 일본헌병은 심양에서 한 진보적인 서점을 압류하고 일부 진보적인 서적들을 소각한 다음 기타 서적들은 대련도서관에 보냈다. 대련도서관에서도 島田好를 촉탁으로 遼陽에 파견하여 만철요양사무소와 결탁하여 많은 문헌자료와 고고학자료 그리고 요양의 명승고적의 사진을 약탈하였다. 1937년 12월과 1938년 3월에 상해와 남경이 일본군에 점령되자 대련도서관에서는 靑木 등으로 구성된 "占領地區圖書文獻接收委員會"를 파견하여 상해와 남경의 도서자료를 정리 접수하였는데 약탈한 80여만 권의 일부가 대련도서관에 넘겨졌다. 1940년에 嘉興이 일본군에 함락되자 대련도서관에서는 또 松崎鶴雄을 촉탁으로 파견하여 일본주둔군과 결탁하여 嘉業堂의 장서를 대련으로 운반하려 하였지만 화동정부의 반대로 목적을 달성하지 못하고 그 중에서 『永樂大典』 48권만 구입하는데 성공하였다.

다섯째, 만철도서관 내부의 장서조절로 장서량을 늘였다. 1943년 만철의 3대 도서관은 장서를 조절하였는데 대련도서관은 '동서관계, 학술종합전문도서관'으로 되고, 봉천도서관은 '교통공업, 工業社業도서관'으로 되고, 하얼빈도서관은 '북만 및 소련관계전문도서관'으로 되었다. 이에 따라 봉천도서관은 양문으로 된 동서관계와 중문고대도서들을 대련도서관에 이관하게 되었다.

대련도서관은 상술한 방법으로 40여 년간 꾸준히 도서자료를 모아 1945년에 일본이 항복하기 전에는 이미 중국어 · 일어 · 러시아어 · 양문 등으로 된 계통이 있는 독특한 도서자료 40여만 권을 소장하게 되었다. 중국고적, 일본문도서, 양문도서, 러시아도서 등을 순서로 그 장서내용을 보면 다음과 같다.

1. 中文圖書資料

중국의 古典圖書. 대련도서관에 소장되어 있는 중국고전도서는 대략 20만 권에 달한다. 그중에는 고전도서, 족보, 內務府檔案, 지도, 명인서화 등이 포함되어 있다. 이런 자료들은 지금까지도 소장가치는 물론이고 학술가치와 자료가치에서도 높은 평가를 받고 있다.

첫째, 고전도서가운데서 귀중한 것을 보면 宋나라시기에 출판한 『淮南鴻熱解』21卷, 『說苑』20卷, 『管子』10卷, 『荀子』20卷, 『三謝詩』1卷, 『康節先生擊壤集』15卷, 『統監記事本末』42卷, 『二十一史』등 8종이 있다. 元나라시기에 출판한 『翰墨大全』, 『齊東野語』, 『尙書』, 『晏子春秋』, 『六子』, 『老子道德經』, 『呂氏春秋』, 『古淸凉傳』, 『唐三詩』, 『昌黎先生文集』등 10여종이 있다. 明淸시기의 刊刻자료는 진품만하여도 부지기수이다. 명조 建文2년에 刊刻한 『皇明典禮』는 현재 절강성도서관에 淸 光緖3년에 베껴 쓴 것밖에 없다. 明나라 國子監에서 刊刻한 『二十一史』와 淸나라 雍正시기에 동활자로 인쇄한 『古今圖書集成』 그리고 조선의 대형 동활자로 인쇄한 『通監記事本末』등도 국내외에서 공인하는 진품이다.

둘째, 대련도서관은 중국의 地方誌 2,491종을 소장하고 있는데 이는 중국의 30개 성, 시, 자치구의 1,662개 현의 지방지를 포함한 것이다. 그중에 109종은 기타 도서관에 없는 귀중한 것들이다. 지방지가운데서 제일 오래된 것은 明나라 正德2년에 刻印된 『姑蘇誌』이다.

셋째, 대련도서관에는 또 1,200여 종, 5,000여 폭의 고지도와 그

림을 소장하고 있는데 그 가운데는 明나라 嘉靖년간에 그린 『中國古
地圖』와 역시 明나라 萬曆년에 石刻한 『太華山圖』 그리고 淸나라의
해안방어상황을 반영하는 봉천・산동・直隷 등 성의 해안포대를 그
린 그림들인 『九江附近長江大觀』,『軍徇配置圖』,『北京城地圖』등이
있다. 이외에도 각 지방의 경제와 수리 그리고 풍경과 명승고적을 그
린 지도도 있다.

넷째, 대련도서관의 고전도서가운데서 제일 특색을 이루고 있는
것은 明・淸시기의 소설이라고 할 수 있다. 소장 소설의 대부분은
『金瓶梅』가 세상에 나와서부터 『紅樓夢』이 간행되기까지 140여 년
간에 刻本 혹은 베껴 쓴 소설들이다. 그중에서 120여 종은 국가급 문
물로 지정되었고 십여 종은 세상에서 둘도 없는 것들이다. 明나라시기
에 간행된 『警世陰陽夢』과 淸나라초기에 간행된 『后水滸傳』등은 모
두 세상에 보기 드문 것들이라는 평가를 받고 있다. 康熙년간에 滿文
으로 베껴 쓴 『金瓶梅』는 『世態炎凉』으로 되어 있는데 중국에 7권밖
에 없으나 대련도서관의 것을 제외하고 기타 것은 모두 殘本이다. 順
治년간에 滿文으로 刻印된 『三國演義』12권도 중국에 2권밖에 없는
데 북경도서관과 고궁박물관에 각각 殘本 한 부씩 소장되어 있다. 『鳳
凰池』,『醒風流』,『醒名花』,『金蘭筏』등 淸나라시기에 刻印한 30
여 권의 소설도 희귀한 것들이다.

다섯째, 淸나라 內閣大庫의 檔案자료는 대련도서관이 소장하고
있는 고문서가운데서 제일 진귀한 것에 속하는 자료이다. 이 자료는
황실내부의 사무를 전담한 總管內務府의 원사자료로 모두 2,051건에
달하는데 順治로부터 光緖에 이르는 각 조대의 題本들이다. 滿文혹은
滿漢문으로 된 자료들은 세상에 알려지지 않은 내무부의 사항, 예를
들면 황실의 지출, 皇庄의 수입, 과거시험 및 관리에 대한 처벌과 장
려, 圓明園의 수건과 용도 등 자료들이 포함되어 있다. 그 중에는 『紅
樓夢』의 저자 曹雪芹의 부친과 조부에 관한 상세한 기록도 나와 있는

데 1985년도에 이것이 세상에 공개되어 紅學연구에 큰 파장을 불러
일으켰다.

2. 日本文圖書資料

대련도서관에 소장되어 있는 일본어도서자료는 모두 94,115종,
179,416권에 달한다. 그중에는 잡지 1,906종, 22,017권과 신문
104종이 포함되어 있다. 상술한 자료들은 일본본토에서 출판한 것 외
에 대만과 조선에서 출판한 것과 일본이 중국 각지에 설립한 각종 기
구들에서 출판한 자료들도 포함되어 있다. 분류별로 보면 다음과 같은
몇 가지가 있다.

첫째, 만철연구에 필요한 자료. 대련도서관에는 대략 4,000종의
만철에 의한 출판물이 있다. 그중에는 만철의 공문, 檔案, 조사자료,
기관지, 각종 영업보고와 통계자료 등이 포함되어 있다. 만철 조사부
는 기구가 방대하고 인원이 세계 각지에 널려 정보자료를 수집한 것으
로 유명하다. 그 기능을 보면 대련만철본사의 調査部는 주로 중국과
소련문제에 대한 조사를 전담하였고, 동결만철지사 내에 설치된 東亞
經濟調査局은 주로 동아 각국문제에 대한 조사를 담당하고, 대련에
있는 滿鐵地質硏究所는 중국 특히 동북의 지리환경과 광산자원에 대
한 조사를 진행하였는데 이 3개 조사기관에서는 자료들을 대련도서관
에 보내 보관하였다. 예를 들면 만철조사부와 만철경제조사회 등 기관
에서 중국 각지 특히 동북지방을 대상을 진행한 경제·정치 및 사회
등 분야에 대한 조사자료 900여 종은 등사본으로 아직까지 인쇄본이
발견되지 않았다. 『滿鐵調査月報』는 전후에 미국국회도서관과 대련
도서관밖에 소장된 것이 없었는데 근래에 일본에서 미국국회도서관의
소장본을 영인하여 출판하였다. 『滿鐵社報』는 만철이 성립되어서부
터 일본이 항복하기까지 40여 년간의 것이 완전하게 보장되어 있고
또 만철하얼빈사무소가 소련에 대한 조사자료, 지질연구소의 동북광

산자원에 대한 조사자료 등도 상당부분 그대로 보관되어 있다.

둘째, 일본문제연구에 필요한 자료. 대련도서관의 통계에 의하면 현재 소장되어 있는 일본문제연구에 필요한 자료는 문헌자료 28,000여 종에 달하는데 그중에는 정치 3,000여 종, 사회 1,500여 종, 문화 1,300여 종, 예술 1,200여 종, 문학 8,800여 종, 역사 1,000여 종, 교육 1,600여 종 등이 포함되어 있다. 소장자료 중에서 가장 오래된 것은 『古事記』로 판권만 하여도 10종에 달한다. BC 8세기에 간행된 『日本書紀』도 판권이 10여 종에 달한다. 『萬葉集』에 관한 각종 각주, 校本, 講義, 연구서는 백여 권에 달한다. 정치에 속하는 『大日本帝國議會記錄』은 제1기로부터 52기에 이르는 일본의회의 각종 의안, 議事, 변론 등을 완전하게 기록하였고, 『大日本史料』는 天照大神으로부터 昭和에 이르는 시기의 일본의 천문지리, 고금인물, 역사사건, 奇聞已術을 집대성한 것으로 200여 권에 달한다. 정식 출판한 도서자료 외에도 만철의 일부 檔案과 원고들도 소장되어 있는데 일본이민에 관한 원고만 하여도 200여 종에 달한다.

셋째, 중국문제연구에 필요한 자료. 대련도서관은 설립초기부터 중국문제에 관한 자료 수집을 중점적으로 진행하였다. 출처별로 보면 일본 내의 중국문제전문가들이 집필한 중국역사, 문화, 문학 등에 관한 연구서와 중국 각지에 설치된 일본의 외교기관, 신문사 등에서 편찬한 중국의 법률, 정부공문이 있는가 하며 또 일본 육해군정보기관에서 중국의 군사, 지리 등 분야에 대한 조사와 繪圖, 일본의 민간조직인 日淸貿易硏究所, 동아동문회, 각 금융조직, 문화협회, 각종 고찰단 등이 편찬한 잡지, 통계자료, 자료집, 연감 등이 포함되어 있다. 자료가 포함한 범위를 지역적으로 보면 북으로 흑룡강으로부터 남으로 해남도에 이르는 중국 전역을 포함하였고 내용을 보면 정치, 경제, 역사, 군사, 문화, 교통, 물산, 사회생활 등 각 취급하지 않은 분야가 없다. 그중에서 동아동문회에서 편집 출판한 『支那省別全誌』, 『支那經

濟全書』,『支那年鑑』와 잡지『支那』(『支那硏究』의 전신임)은 중국
문제를 연구하는 귀중한 자료로 취급받고 있다.

넷째, 동북문제를 연구하는데 필요한 자료. 러일전쟁이후 동북은
실지로 "만철왕국"의 천하로 되었다. 만철은 철도부속지에서 행정, 교
육, 위생, 산업, 상업 등 특권을 장악하고 있었기에 엄연히 "국가"로
군림하였다. 대련도서관도 만철의 이러한 특권을 보장하여 주기 위해
滿蒙文庫를 별도로 설치하고 M庫라고 불렀다. 여기에는 동북, 내몽
골동부, 열하, 차하얼에 관계되는 모든 문서를 집중시켰다. 대련도서
관의 불완전한 통계에 의하면 현재 이 문고에는 각종 문헌자료
12,052종을 보관하고 있는데 그중에 일본어로 된 것이 8,756종에 달
한다.

다섯째, 동남아와 중동지역에 관한 자료. 일본의 대외침략이 확장
되면서 대련도서관은 동남아지역에 관한 정치, 경제, 자연지리, 종교
민속에 관한 자료들도 수집 정리하여 동남아문고를 설치하였다. 제2
차 세계대전이 발발한 다음 유태인에 대한 문제가 중요시되자 일본에
서는 "유태문제연구소"를 설립하고 대량의 인력과 물력을 투입하여 유
태인문제를 조사 연구하였다. 만철조사부에서도 水谷國一 등에게 위
탁하여『猶太問題硏究資料』를 편집 출판하였다. 水谷國一은 또『米國
猶太人社會及其團體』, 『蘇聯猶太民族人口及職業構成』, 『世界猶太年
鑑』등 연구서와 자료도 내놓았다. 일본 육군성에서는 간첩 安江宣弘을
중동에 파견하여 장기간에 거쳐 유태인문제를 조사하였는데, 그는 돌
아와서 유태인의 자금과 지혜를 이용하여 만주를 개발한 구상을 내놓
고『猶太國視察記』,『猶太人』등 연구서를 내놓았다. 水谷國一과 安江
宣弘 등이 연구서들은 지금까지 대련도서관에 소장되어 있다.

3. 洋文圖書資料

대련도서관의 원동문고에는 약 30,000여 권의 洋書도서가 있는데

그중에 많은 것이 동아와 중국에 관계되는 것들이다. 특히 明末淸初 시기 서양선교사들이 기록한 동서관계자료 6,705여 권은 학술적 가치가 높은 것들이다. 예를 들면 프랑스선교사 Du Halde는 중국에 있는 예수교회가 본국에 보낸 보고서와 그들이 장악한 중국의 지리, 역사, 정치제도, 문물, 민족방면의 자료를 이용하여 『中華全誌』를 편찬하였는데 대련도서관에는 파리에서 1745년에 출판한 초판과 1738년에 런던에서 출판한 두 가지가 소장되어 있다. 이외에도 淸나라중기에 서양선교사들이 귀국하여 집필한 『北京敎士報告』 15권(1776-1791년판)은 대량의 중국자료를 소개함으로써 유럽에서 중국연구열을 일으켰다. 프랑스선교사 Josephe de Maila는 『中國通史』 13권을 집필하였는데 대련도서관에는 파리 1777-1785년판이 소장되어 있다. 1659년 암스테르담에서 출판한 이탈리아선교사 Martin의 『中國歷史』는 대련도서관이 소장한 제일 오래된 洋書이다. 이외에도 선교사들이 집필한 『中國情況新記』, 『中國禮俗記』, 『耶蘇會士遊記』 등 자료들도 중국을 연구하는 중요한 자료로 활용되고 있다.

4. 러어圖書資料

대련도서관에는 대략 3만여 권의 러시아어로 된 도서자료가 소장되어 있다. 이 자료의 대부분은 러시아인들이 중국의 동북과 몽골 그리고 시베리아를 연구한 연구서로, 경제, 산업, 군사, 역사, 지리, 문학 등 다양한 분야가 포함되어 있다.

5. 한국사 및 재만한인사회연구에 필요한 자료

대련도서관에 한국사 및 재만한인사화연구에 필요한 자료가 정확히 얼마나 소장되어 있는지는 누구도 조사하여 보지 않았다. 그것은 자료가 정리되지 못한 것과도 관계도 있겠지만 더욱이 어디까지 관련을 정할 수 있는가 하는 문제가 존재하기 때문이다. 첫째로 일제시기 만주지방에 산재한 고구려, 발해유적에 대한 상당한 발굴과 조사가 있었는데 당연히 이런 자료들은 한국사와 관련이 있겠다고 볼 수 있다. 예를 들면『滿洲國安東省輯安縣高句麗遺蹟』, 池內宏, 新京, 滿日文化社, 昭和11年 ;『高句麗紀功碑』, (北魏)奉天省城 正始三刻, (淸拓本) ;『撫順高句麗城址の陶片』, 小村俊夫, 渡邊三三編 ;『蘇子河流域に於ける高句麗と后女眞の遺跡』, 高橋匡四郎編, 新京, 建國大學研究院, 1941年 등 자료들은 고구려연구에서 지금까지도 연구가치가 있는 귀중한 자료들이다.

둘째로 만철을 비롯하여 일제식민당국은 "만주사변"이전에 재만한인사회의 정치, 경제, 문화, 교육 등 분야에 대하여 상당히 세밀한 조사를 진행하였는데 이런 자료들은 현재 재만한인사회를 연구하는 유일한 직접적 자료들이라고 할 수 있다. 예를 들면『安東朝鮮人會事務報告』, 安東朝鮮人會, 大連, 大正15年 ;『在滿鮮人は何處え行く』, 上田稔, 新義州, 昭和5年 ;『支那官憲の在滿鮮人壓迫問題』, 佐田弘治郎, 大連, 昭和4年 ;『在滿鮮人學校調』, 滿鐵編, 大連, 昭和6年 ;『在滿朝鮮人敎育問題』, 桑畑忍, 大連, 昭和4年 등 자료는 재만한인사회와 한민족반일운동의 사회적 기반을 연구하는 중요한 자료들이다.

셋째로 "만주사변"이후 일제는 조선이민을 만주에 이주시키는 이민정책을 추진하면서 일본인이민과 더불어 방대한 이민계획과 사전조사를 진행하였는데 이런 자료 역시 재만한인사회를 연구하는데 없어서는 않되는 자료들이다. 예를 들면『在滿朝鮮人學事及宗敎統計』, 康德3年6月, (滿)文敎部調査科, 新京 ;『在滿朝鮮人現勢圖』, 在滿日本大使館, 昭和11年 ;『吉林省間島地方琿春凉水泉子方面農業調査報告』 81-46, 滿鐵經濟調査會, 昭和9年 ;『敦化額穆地方農業調査報告』81-47, 滿鐵經濟調査會, 昭和8年 ;『吉林省間島地方琿春, 汪淸, 延吉地方農業調査報告』81-52, 滿鐵經濟調査會, 昭和9年 ;『烏吉密河, 延壽, 一面坡附近

農業調査報告』81-57, 滿鐵經濟調査會, 昭和9年 등 자료들은 만주사변이후의 재만한인사회의 동향과 상황을 파악하는데 없어서는 안 되는 자료들이다.

그리고 특히 주의해야할 자료들은 각종 조사, 年鑑, 계획 등에 포함되어 재만한인관련자료들은 그 수와 양이 방대하여 정확히 파악하기조차 힘들다. 예를 들면 『滿洲開拓年鑑』, 『滿洲年鑑』, 『滿洲國現勢』 등 年鑑類와 『奉天全省宗敎調査統計表』, 『滿洲學校敎育槪況』, 『滿洲農業移民方策關係資料』, 『吉林省東部地方經濟事情』 등 조사, 정책류의 자료들에는 제목에서는 한인에 관하여 취급하지 않았지만 내용에서는 직접 혹은 간접적으로 한인관련자료들을 언급하고 있다.

6. 해방이후의 대련도서관

1945년 8월 15일 일본이 항복하자 만철조사부는 대련도서관에 소장되어 있던 일본 황실과 동북지방의 지도를 비롯한 많은 자료를 소각하였다. 같은 해 8월말 9월초, 소련군이 도서관을 접수할 때 또 많은 자료를 도난당했는데, 그중에는 海源閣에서 구입한 宋나라시기의 고도서와 일부 진귀한 원고 그리고 진도들이 포함되었다. 55권으로 된 『永樂大典』도 실종되었는데 1954년 소련의 레닌도서관에서 그중 52권을 돌려주었다.

1949년 10월 旅大市 인민정부에서는 대련도서관을 접수하여 旅大市圖書館으로 명명하였다. 1950년 이후 대련도서관의 일부 소장품들이 국가행정기관, 문물관리기관, 檔案館, 과학연구부분에서 가져감으로서 장서량이 13만 종, 40여만 권으로 줄어들었다.

1990년대 초에 대련시인민정부에서는 대련도서관을 신축하여 이전하고 만철도서관자료들을 보관하고 있던 대련도서관을 대련도서관 魯迅分館 일본문헌자료실로 고치고 도서관에 소장되어 있던 기타 일본문도서와 신문, 잡지를 모두 이에 이관시켰다. 그리하여 장서량이

대폭 증가하였다. 하지만 현직 임원이 2명밖에 없어 도서정리 등이 지연되어 많은 도서들이 목록도 없이 그대로 방치되어 있다.

근래에 대련시정부의 유관부분에서는 만철자료들 가운데 국가의 기밀에 속하는 군용지도, 자원조사보고 등이 있다는 이유로 외국인의 열람을 제한하기 시작하였고 목록조사사업도 본격적으로 진행하여 2004년 말 이전에 내국인에 한하여 전면개방하려고 준비하고 있다.

목 차

【滿鐵圖書館所藏韓國關聯資料目錄】

滿鐵圖書館所藏韓國關聯資料目錄

1. 地理部分

支那邊疆概觀

　平山敬之著　東京　東亞經濟調査局　昭和10年

北滿洲

　外務省通商局編　東京啓成社　大正7年

南滿洲(南滿洲鐵道沿線大勢)

　海原清平編　神戸　新聞社　大正4年

南滿洲主要都市と其背後址

　谷村武編輯　大連　滿鐵　昭和2年

國境政治地理

　岩田孝三著　東京　東學社　昭和13年

滿洲北韓地名聲音字滙

　小關雅樂　東京　秀名社　明治37年

滿洲地名の研究

　岩瀬弘一郎著　東京　古今書院　昭和13年

滿洲地名考

谷光世編　新京　滿洲事情案內所

滿洲地名考

滿洲事情案內所編　新京　滿洲事情案內所

滿洲地名詞典

岡野一郎著　東京　日本外事協會　昭和8年

滿洲國地名大辭典

山崎摠與著　東京日本書房　昭和16年

滿洲國地名便覽(滿洲國及と接壤地域地名便覽)

豊田慶一　大連　滿洲文化協會　昭和8年

滿韓ところぐ

夏目瀨石著　東京　春陽堂　13版　大正 8年

滿蒙及朝鮮

上原佐一郎著　大連　實業時代社滿洋支局　昭和4年

滿洲帝國地名大辭

山崎摠與著　東京　滿洲帝國地名大辭典刊行會　昭和12年

滿鮮

山本實彦著　東京　改造社2版　昭和11年

滿鮮

山本實彥　東京　改造社　昭和7年

滿鮮各地視察便覽

滿蒙文化協會編　大連　大正10年

滿鮮視察記

森田福市著　東京　凸版印刷株式會社　昭和13年

滿鮮蒙依實現

田方田嘉平著　埼玉縣　關東印刷所　昭和6年

滿鮮鴻爪

石井健吾　東京　大正15年

東清鐵道南部沿線地方經濟調查資料

滿鐵叢務部調查課　大正6年

東滿事情

崗崎雄四郎編　新京　滿洲事情案內所1941年

北滿事情

廣岡光治編　哈爾濱興信所

北滿事情

崗崎雄四郎編　新京　滿洲事情案內所1941年

北滿洲事情槪要

　　哈爾濱日本商工會議所編　　哈爾濱　　昭和7年

潘海‚吉海鐵道沿線事情

　　哈爾濱商品陳列館編　東京　昭和5年

韓國南滿洲(續帝國大地志)

　　野口保興著　東京　目黑書店1908年

滿洲接壤地方志(草稿)(卷1-3)

　　關東都督府陸軍經理部編　東京　明治44年

滿洲舊址誌 (上篇)

　　八木裝三郎　大連　南滿鐵道株式會社　大正13年

滿洲舊址誌 (下篇)

　　滿鐵庶務部調査課　大連　昭和元年

滿洲舊址誌 (續)

　　八木裝三郎　大連　滿鐵會社庶務部調査課　昭和4年

滿洲地方誌 (草稿1‚2)

　　關東都督府編　大連　明治44年

滿洲地方誌攷

　　植野武雄　奉天圖書館　昭和10年

滿洲地方誌綜合目錄

植野武雄　滿鐵驛圖書館　昭和12年

滿洲地誌

參謀部編出版　東京　明治27年

滿洲地誌

長尾景弼編　東京　博文社　明治27年

滿洲地誌（上篇）

釋尾春芿編　京城　朝鮮及滿洲社　大正7年

滿洲地誌（下篇）

釋尾春芿編　京城　朝鮮及滿洲社　大正8年

滿洲地誌（上）

守田利遠　東京　丸善株式會社　明治39年

滿洲地誌（中）

守田利遠　東京　丸善株式會社　明治39年

滿洲地誌（下）

守田利遠　東京　丸善株式會社　明治39年

滿洲事情（上，中，下）

滿洲事情案內所　新京　昭和10年

滿洲事情

　山岡政次郎編　東京　商況社　明治37年

滿洲事情 (第一輯 第一回)

　外務省通商局編　東京　明治44年

滿洲事情 (第一輯 第二回)

　外務省通商局編　東京　大正9年

滿洲事情 (第二輯 第一回)

　外務省通商局編　東京　明治44年

滿洲事情 (第二輯 第二回)

　外務省通商局編　東京　大正9年

滿洲事情 (第三輯 第一回)

　外務省通商局編　東京　明治44年

滿洲事情 (第三輯 第二回)

　外務省通商局編　東京　大正10年

滿洲事情 (第四輯 第一回)

　外務省通商局編　東京　明治44年

滿洲事情 (第四輯 第二回)

　外務省通商局編　東京　大正10年

滿洲事情（第五一輯　第一回）

外務省通商局編　東京　明治44年

滿洲事情（第五輯　第二回）

外務省通商局編　東京　大正11年

滿洲事情（第六輯　第二回）

外務省通商局編　東京　大正12年

滿洲事情（第七輯　第二回）

外務省通商局編　東京　大正12年

滿洲事情（第八輯　第二回）

外務省通商局編　東京　大正13年

滿洲事情

南滿洲中等教育研究會編　東京　昭和9年

滿洲事情　補遺

南滿洲中等教育研究會編　東京　三省堂　昭和9年

滿洲事情（新撰）

南滿洲中等教育研究會編　東京　三省堂　昭和9年

滿洲國地方事情

滿洲國地方事情編纂會編　新京　1932年

滿洲國地方事情（槪說篇）

中原八郎編　新京　大同印書館　1932年

滿洲國地方事情大系

滿洲帝國大同學院編　新京　大同印書館　1935年

滿洲國各縣事情

滿洲事情案內所編　新京　1939年

滿洲帝國地方事情大系

滿洲帝國地方事情大系刊行會編　新京　1936年

滿洲帝國地方事情大系

滿洲帝國地方事情大系刊行會編　新京　1937年

滿洲と東邊道

滿洲事情案內所編　新京　1938年

滿鮮記事集（第33回定時總和關係）

帝國鐵道協會　昭和11年

安東

滿鐵旅客課編　大連　昭和11年

安東一班

尾形子之次編　東京　幷木活版所　明治43年

安東見物

東伊之助編　安東　明治44年

安東今昔物話

大津峻述　安東文話會編　安東　1943年

安東誌

安東縣商業會議所編　安東　1920年

安東縣及新義州

佐藤正二郎編　京城　京城印刷所　大正6年

安東部屬地槪況

滿洲鐵安東地方事務所編　安東　昭和5年

安東管內及新義州槪觀

滿鐵安東地方事務所編　安東　大正8年

奉天事情

鶴田恒雄編　奉天　文古堂書店　大正11年

鴨綠江--滿韓國境事情

大崎峰登著　東京　兵警館　明治43年

朝鮮, 關東州

改造社編　東京　昭和9年

新朝鮮及新滿洲

釋尾春乃編　京城　朝鮮雜誌社　大正2年

滿洲國地方事情(一卷)

大同學院滿洲國地方事情編纂會編　新京　大同印書館　1934年

滿洲國地方事情(二卷)

大同學院滿洲國地方事情編纂會編　新京　大同印書館　1934年

東邊道

森崎實著　東京　春秋社　昭和16年

東邊道史

田中演吉著　新京　東邊道開發株式會社　1940年

東邊道關係資料目錄

滿鐵吉林鐵道國總務課編　吉林　昭和15年

東邊道案內

眞鍋五郎著　大連　亞西亞出版協會　昭和15年

東滿事情

滿洲事情案內所編　新京　1941年

東邊道資源槪況

國務院 總務廳統系處編　新京　1937年

安東省長白縣槪況資料

長白縣公署編　長白　1936年

安圖縣事情

平林三治著　安圖　1936年

吉林

省公署總務科編　吉林　1936年

吉林

滿鐵道總務局編　奉天　昭和12年

吉林事情

吉林居留民會編　吉林　大正2年 - 昭和2年

吉林事情

堀井覺太郎著　吉林日本居留民會　昭和7年

吉林事情

藤技重矩編　吉林光顧出版社　昭和16年

吉林事情

藤技重鉅編　吉林　滿洲博報社　1943年

吉林省

大河原厚仁著　遼東新報社　1917年

吉林省東部地方
朝鮮總督府警務局編　京城　昭和3年

吉林省延吉道管內
(〈滿蒙全書〉第7卷都市第2編著4章)

間島地方槪要
圖門鐵路辦事處編　圖們　1935年

間島事情
東洋拓殖株式會社京城支社編　京城　大正7年

間島事情ニ就テ
朴斗榮著　新京　關東軍參謀剖　昭和8年

間島事情槪要
日本總領事館編　間島　昭和8年

間島事情槪要
間島日本總領事館編　龍井　昭和7年

間島省和龍縣事情
吉田豊二著　大同學院編　新京　1936年

間島要覽
間島省公署編　延吉　1937年

間島ニ關スル諸文獻ニ就テ

天野元之助著　昭和5年

奉天省柳河縣事情

金泰呉著　大同學院編　新京　1935年

敦化

小林純吉編　敦化　昭和8年

敦化縣事情

川原田雄編　1936年（등사본）

敦化縣敖東城調査報告書

吉林省公署教育廳（岩間茂次郎）編　吉林

最近の東邊道

田邊賴三著　大連　滿蒙事評論社　昭和14年

最近間島事情

中九潤亮, 村田懋磨著　京城　朝鮮及朝鮮人社　昭和2年

最近の間島と琿村

吉村香六著　京城　朝鮮交通協會　昭和6年

輯安縣事情

輯安縣公署編　輯安　1935年

輯安縣の槪略
滿洲縣邑建設局(永尾茂)編   輯安   1940年

滿洲問題の關鍵間島
長野郎著   東京   支那問題硏究所   昭和6年

額穆敦化兩縣事情
南滿鐵哈爾濱事務所調査課編   哈爾濱   大正15年

烏吉密河,延壽, 一面地方一般調査
滿鐵調査部   大連   昭和9年

寧吉塔事情(東部北滿)
橫地信果著   昭和6年

寧安縣事情
滿洲國地方事情編纂會編   新京   1934年

東北部滿洲之沿革(寧古塔を 中心とせる)
滿鐵哈爾濱事務所調査課   哈爾濱   大正14年

東寧縣事情
滿鐵經濟調査會編   大連   昭和9年

牡丹江事情
佐藤鍾次郎著   牡丹江   昭和16年

牡丹江省卜間島省

　　滿鐵叢室弘報課編　大連　昭和16年

圖寧，寧佳，林密線及背後地槪況

　　滿鐵鐵路總局編　奉天　昭和10年

黑龍江外記

　　西淸著　石川譯　東京　滿洲日日新聞　東京支社　昭和18年

最近牡丹江事情

　　佐藤鍾次郎著　牡丹江　昭和16年

穆稜縣一般狀況

　　吉林事務所編　吉林　昭和8年

大和尙山

　　關山勝三編　大連　中日文化會　昭和5年

大和山の研究

　　關山勝三編　大連　中日文化會　昭和5年

長白山東南の諸水

　　馬場揪太郎著　上海　禹城學會　昭和3年

長白山史料斷片

　　村山釀造著　奉天圖書館　昭和16年

鴨綠江(滿韓國境事情)

大崎峰登著　東京　兵林館　明治43年

鴨綠江

則武三雄著　動徑　第一出版協會　昭和18年

鴨綠江

大崎峰登著　東京　丸善株式會社　明治44年

長山列島の古迹と傳說

三宅俊成著　大連　滿洲文化協會　昭和8年

東京城

鳥山喜一著　新京　文教部滿洲古迹古物勝天然紀念物保存協會
1943年

間島省古迹報告

鳥山喜一, 藤田亮策著　奉天出版印刷株式會社滿洲支社　1942年

高麗古城高麗門

渡邊與作著　鳳城縣公署　1934年

飛ぶ鳥勿話(支那, 滿洲, 朝鮮旅行)

友田宜剛著　東京　中川書坊　昭和17年

再び韃靼漂流記に就いて
園田一龜著　奉天圖書館　昭和8年

吉海鐵道沿線旅行記
辻川佐助著　大連　南滿洲鐵道株式會社　大正9年

帝國在郷軍人會代表者追魂旅行團滿鮮旅行寫眞帖
帝國在郷軍人會代表者追魂旅行團滿鮮旅行團編　東京　昭和4年

間島，琿村，北鮮及東海岸地方行脚記
川口叢編　大連　小林又七支店　昭和7年

清韓漫遊余歷
勝田主計著　東京　明治43年

乾ける國へ滿韓支那旅行
木下立安著　東京　鐵道時報局　大正12年

滿韓観光團誌
櫪木縣實業家滿韓観光團編　宇都宮　明治44年

滿韓休學旅行紀念錄
廣島高等師範學教編　廣島　明治40年

滿鮮支那旅行の印象
高森良人編　東京　大同館　大正9年

滿鮮行　附:北支紀行

農業學校長協會編　東京　大正15年

滿鮮講演旅行から歸りて

小榮次郎著　昭和14年

滿鮮巡游記

霜田淸編　東京　らんせん莊　昭和2年

滿鮮旅行らた日記

小村捷治編　昭和13年

滿鮮游記

大町芳衛(桂月)編　東京　大正8年

滿鮮游記

林安繁著　神戸　田中印刷出版株式會社　昭和10年

滿鮮趣味の旅

遲塚金太郎(麗水)著　東京　大阪屋號書店　昭和5年

滿鮮の行樂

田山錄彌(花袋)　東京　國民學院　大正8年

趣味の滿洲

中溝新一編　大連　滿洲文化協會　昭和7年

韃靼漂流記

園田一龜著　奉天圖書館　昭和7年

鮮滿支大陸視察旅行案內

東們雄著　東京　東學社　昭和14年

鮮滿支那大陸雜感

鳥連太郎著　東京　大正13年

鮮滿支那とこる　どてろる云烟過眼日記

森本靑吉等著　東京　金羊社　昭和5年

鮮滿北支那の旅を終へて

松下靑吉著　東京　文展堂　昭和2年

鮮滿の車窓から

平野博三著　東京　大阪屋號書店　昭和13年

帝國大地圖韓國南滿洲

野口保六著　明治41年

滿洲及壤地域地形圖

南滿洲鐵道株式會社地質調査所編　大連　昭和6年

滿蒙鮮最新地圖

滿蒙日報社會編　大連　昭和3年

滿蒙槪念圖

滿鮮槪念圖刊行會制　大連　昭和5年

2. 歴史部分

支那疆域史

顧頡剛著　中尾雄一譯　東京　人文閣　昭和18年

内鮮より觀たる滿洲の歴史

中山久四郎　大連　滿洲文化協會　昭和7年

日滿の古き國交—奈良，東京城，長安

衛藤利夫著　奉天　滿洲帝國協和會奉天省本部　昭和15年

東洋史上に於ける滿鮮の位置

白鳥吉等著　千葉　新更會刊行部　昭和7年

植民統治史　朝鮮，滿蒙，關東州，臺灣，樺太

峰岸清之編　拓務評論社　1932年

朝鮮史滿洲史

稲葉岩吉，矢野仁一　東京　平凡社　昭和14年

朝鮮，滿洲，支那

下村海南著　東京　第一書房　昭和14年

朝鮮史, 滿洲史

稻葉岩吉, 矢野仁一   東京   平凡社   昭和10年

朝鮮と滿洲國

小野久太郎著   京城   朝鮮經濟日報社   昭和7年

滿洲, 支那, 朝鮮新聞記者三十年回顧錄

楢崎觀一   東京   大阪屋號書店

滿鮮史研究   中世紀第一冊

池內宏著   東京   岡書院   昭和8年

滿鮮歷史研究   中世紀第一, 二冊

池內宏著   東京   荻原星文館   昭和12-18年

滿鮮史研究

池內宏   東京   吉川弘文館   昭和35年

滿鮮地理歷史研究報告

東京帝國大學文學部   東京   丸善株式會社   第一卷   大正4年
第一卷   大正4年
第二卷   大正5年
第三卷   大正5年
第四卷   大正7年
第五卷   大正7年
第六卷   大正9年

第七卷　大正9年
第八卷　大正10年
第九卷　大正11年
第十卷　大正13年
第十一卷　大正15年
第十二卷　大正5年
第十三卷　大正7年
第十四卷　大正9年
第十五卷　大正12年
第十六卷　大正16年

滿鮮關係史考

稻葉岩吉　大連　滿洲文化協會　昭和8年

鮮滿發達史

大森頑石著　大阪　鮮滿事業協會　昭和8年

鮮滿研究

蘆田伊人編　東京　日本學術普及會　1921年

渤海國小史

鳥山喜一著　新京　滿日文化協會　1939年

渤海史考

鳥山喜一著　東京　奉公會　大正4年

滿文老檔　太祖の卷
藤岡勝二譯　東京　岩波書店　昭和14年

滿文老檔　太宗天聰の卷
藤岡勝二譯　東京　岩波書店　昭和14年

滿文老檔　太宗崇德の卷
藤岡勝二譯　東京　岩波書店　昭和14年

光海君時代の滿鮮關係
稻葉岩吉　京城　大阪屋號書店　昭和8年

琿春, 敦化
三宅俊定編　新京　滿洲事情案內所　1943年

頭道溝事件
田中幸策著　東京　外交時報社　昭和14年

琿春事件
田中幸策著　東京　外交時報社　昭和14年

義和團當時の東三省扰亂及び露西亞の東三省占領
東方文化學院京都硏究所編　京都　滙文堂　昭和12年

毛文龍と朝鮮との關係について
田川淸孝　三東著京　京城　近譯印刷部　昭和7年

淸の太祖と李成良との關係
和田淸著　東京　生活社　昭和18年

渤海の上京龍泉府に就いて
鳥山喜一　昭和4年

北滿洲及東部西比利亞調査報告
鳥居龍藏著　朝鮮總督府編　京城　大正11年

興京二道河子舊老城
建國大墾編　朝鮮印刷株式會社　昭和14年

安東省輯安縣城附近高句麗の遺跡
三宅俊成編

撫順"高句麗城址"の陶片
小村俊夫, 渡邊三三編

蘇子河流域に於ける高句麗と后女眞の遺跡
高橋匡四郎編　新京　建國大學研究院　1941年

延吉小營子遺跡調査報告
1943年

南滿洲調査報告（考古）
鳥居龍藏著　東京　明治43年

南滿洲舊跡志(上)

滿鐵庶務部調査課編　大連　大正13年

南滿洲舊遺跡志(下)

滿鐵庶務部調査課編　大連　大正15年

高句麗と后女眞の遺跡

高橋匡四郎編　新京　建國大學硏究院　1941年

高句麗の新城

渡邊三三編　奉天　奉天圖書館　昭和8年

渤海國の石燈籠

池內宏　東京　東亞考古學會　昭和8年

滿洲國安東省輯安縣高句麗遺跡

池內宏　新京　滿一文化協會　昭和11年

滿鮮考古行脚

高橋健自, 石田茂作著　東京　松山閣　昭和2年

輯安

三宅俊成　新京　滿洲事情案內所　1944年

3. 傳記, 人名錄部分

朝鮮及滿蒙に於ける北陸道人史

荻野勝重編　京城　北陸道人史編纂社　昭和2年

和歌山縣人鮮滿發達史1915

稗田秀吉編　和歌山　鮮滿發達史編輯部　昭和2年

新日本人物大系(滿洲篇, 朝鮮篇, 東支篇)

中西利八編　動徑　東方經濟學會　昭和11年

滿洲國官吏錄

國務院總務廳編　新京　1933年

滿洲國官吏錄

國務院總務廳編　新京　1938年

滿洲國官吏錄

國務院總務廳編　新京　1935年

滿洲國官吏錄

國務院總務廳編　新京　1936年

滿洲國官吏錄(薦任官以上)

國務院總務廳人事處編　新京　1937年

滿洲國官吏錄

國務院總務廳人事處編　新京　1938年

滿洲國官吏錄

國務院總務廳人事處編　新京　1939年

滿洲國官吏錄

國務院總務廳人事處編　新京　1940年

滿洲國官吏錄

國務院總務廳人事處編　新京　1933年

滿洲國官吏錄(委任官試補以上)

國務院總務廳人事處編　新京　1942年

滿洲國官吏錄(大同元年版)

佐藤四郎編　大連　滿洲書院　昭和7年

滿洲國警察司別冊─芳魂錄

治安部警務司編　1942年

滿洲國殉職公務人員紀念錄

慰靈委員會　1933年

滿洲紳士錄

中西利八編　東京　滿蒙資料協會　昭和12年

滿蒙人物選集

高稻三七著　京城　大陸研究社　昭和10年

在滿日滿人名錄, 在滿主要機關職員錄

滿洲日日新聞社　大連　昭和11年

在滿日滿人名錄

滿洲日日新聞社　大連　昭和12年

在滿日滿人名錄

柳川重編　大連　日華人名錄編纂所　昭和7年--12年

在滿日滿人名錄

廣田幸次編　大連　昭和15年

4. 經濟部分

五常縣經濟事情
滿洲中央銀行調查課編　新京　1935年

長白山豫備調查報告書
滿洲帝國協和會科學技術聯合會自然科學研究會編 新京　1934年

長白山綜合調查報告書
萬代源司編　吉林　滿鐵吉林鐵道局　昭和16年

長白山綜合調査について
村山釀造著　昭和17年

長白山陸水
山崎正武著　昭和16年

東寧縣南部, 琿春縣北部, 汪淸縣東部經濟情況--大荒溝子, 羅子溝, 東窯, 東興鎭
經濟調查會第一部(丸岡淳夫)編　大連　昭和9年

東寧縣調査報告書
吉田美之編　昭和9年

東邊道寬甸 ,輯安，桓仁，通化各縣經濟報告書
滿鐵安東地方事務所(御園生正二等)編　安東　昭和9年

東部吉林省經濟事情
東亞經濟調査局編　東京　昭和3年

東部吉林省經濟事情
嘉治隆一編　大連　中日文化協會　昭和3年

北滿經濟調査資料
滿鐵調査課編　大連　明治43年

安東經濟槪要
久保恭一編　安東商工公會　1938年

安東經濟事情(昭和11年8月)
安東商工會議所編　安東　昭和11年

安東經濟事情(昭和12年6月)
安東商工會議所編　安東　昭和12年

安東背後地に於ける經濟事情
谷村武著　大連　滿鐵　昭和2年

安城線背後地産業經濟調査報告

　　奉天鐵道局産業課編　奉天　昭和14年

吉林東南部經濟調査資料

　　滿鐵調査課(井阪務秀雄)編　大連　明治44年

吉林經濟事情

　　外務省通商局編　東京　明治41年

吉林省東北部松花江沿岸地方經濟事情

　　滿鐵調査課編　大連　大正10年

間島經濟調査

　　1934年

間島經濟事情

　　李哲浩著　間島　東滿經濟研究所　昭和12年

京圖線及背後地經濟事情--北鮮三港を包む

　　佐藤晴雄編　奉天　鐵路總局　昭和10年

松花江沿岸地方經濟事情

　　石川鐵雄編　長春　滿洲總務部調査課　大正10年

松花江沿岸經濟事情

　　哈爾濱商品陳列館(山內忠三郎)編　哈爾濱浜　昭和6年

松花江黑龍江及兩岸經濟調査資料
滿鐵調査課編　大連　明治43年

松花江, 黑龍江經濟事情槪要
哈爾濱日本商工會議所編　哈爾濱　昭和11年

南滿洲經濟調査資料
滿鐵調査課編　大連　明治41年

南滿洲經濟調査資料(第一)
滿鐵調査課編　大連　明治42年

琿春縣經濟事情
滿洲中央銀行調査課編　新京　1935年

鴨綠江經濟圈調査報告書(別冊)
昭和12年

通化, 風城間經濟調査
滿鐵産業部編　大連　昭和12年

通化を中心とする經濟事情
吉林鐵路局産業處　吉林　1937年

營口經濟の槪況
營口地方事務所編　營口　昭和12年

最近の滿洲經濟事情

滿洲中央調查課編　新京　　1937年

滿鮮經濟事情

田中廉平等編　1933年（등사본）

滿鮮經濟の現階段

鈴木正文著　京城　帝國地方行政學會朝鮮本部　昭和13年

鮮滿支新興經濟

小鳥精一著　東京　春秋社　新京13年

鮮滿經濟十年史

澤田信太郎　朝鮮銀行　京城　大正8年

間島産業調査

統監府臨時間島出版編　東京　明治43年

青年の滿鮮産業見物

植村寅著　東京　大正8年

國線沿線の産業開發につ就いて

滿鐵鐵路總局附業課編　奉天　1936年

滿鮮産業の印象—附滿洲開拓地の農業經濟經營につ就いて

石橋勘山著　東京　東洋經濟新報社　昭和16年

鮮滿及北支那之産業

藤本實也著　東京　大阪屋號書店　大正15年

鮮滿産業大鑑

內藤八什八編　東京　事業ㅎ經濟社　昭和15年

昭和7年度間琿地方農業狀況

昭和7年

間島省農産物槪況

滿洲中央銀行調査課間島省班　新京　1943年

黑龍江省農業事情

實業部農務司(牧野克巳)編　新京　1934年

三河地方の一部及根河以南鐵道沿線間地方農業調査報告

滿鐵經濟調査會第二部編　大連　昭和9年

烏吉密河, 延壽, 一面坡附近農業調査報告

柏倉泰治編　大連　滿洲經濟調査會　昭和9年

主要農産物生産費に關する調査報告書

—駐滿農村に於ける農産物價格形成事情—

對馬俊治編　新京　滿洲農産公社　1942年

主要農産物生産調査(康德八年度)

　　興農部農政司調査科編　新京　1941年

吉林省寧安縣牡丹江流域農業調査報告

　　土居丁編　吉林　昭和9年

吉林省間島地方琿春, 凉水泉子方面農業調査報告

　　滿鐵經濟調査會編　大連　昭和9年

吉林省間島地方琿春, 汪淸, 延吉地方農業調査報告

　　經濟調査委員會編　大連　昭和9年

吉林穆稜縣穆稜河流域農業調査報告

　　土居丁　新京　1934年

間島地方農業統計

　　間島日本總領事館編　間島　昭和8年

間島省下農産物出荷對策調査報告

　　滿洲中央銀行調査課編　新京　1943年

綏芬河附近農業調査報告

　　滿鐵經濟調査會編　大連　昭和8年

通化, 桓仁縣農林業調査報告書

　　横田廉一著　大連　滿鐵産業部　昭和12年

寬甸縣, 風城縣農業調査報告書

滿鐵産業部編   大連   昭和12年

敦化, 額穆地方農業調査報告

滿鐵經濟調査會(福留邦雄)編   大連   昭和8年

吉敦沿線水田修補地調査報告書

滿鐵臨時經濟調査委員會編   大連   昭和4年

間島に於ける農業機構の概要

中谷忠治編   大連   滿鐵資料課   昭和11年

東支鐵道東部沿線海林地方に於ける水田業

滿鐵哈爾濱事務所調査課編   哈爾濱   大正13年

吉林市に於ける精米界の一般狀況

吉林鐵路局編   吉林   昭和12年

吉敦鐵道沿線の水田

村越信夫著   大連   中日文化協會   昭和3年

南滿洲米槪況

滿鐵地方課編   大連   大正3年

南滿洲米槪況

滿鐵地方課編   大連   大正7年

營口産米事情

經營口商工公會編　營口　1939年

滿洲水田の話

滿鐵調査課編　大連　大正15年

滿洲米の話

大連精糧會社(植田龍藏)編　大連　昭和13年

滿洲の水田

滿鐵勸業課(石津半治)編　大正15年

滿洲の水田

南滿洲鐵道株式會社興業部農務課編　大正15年

滿洲の水田

香村岱二編　大連　滿鐵地方部農務課　昭和7年

滿洲の米

全滿米谷同業組合編　奉天　昭和5年

北鮮及東滿地方に於ける水産物需給事情

滿鐵詔使部編　大連　昭和14年

滿鮮成業銘鑑

靑柳綱太郞編　京城　朝鮮研究會　1922年

東滿(管內)に於ける主要會社工場調査

牡丹江鐵路局總務處資料科編　牡丹江　昭和12年

吉林主要工場生産統計

吉林鐵道局總務課資料系編　大連　昭和17年

鴨綠江橋梁工事報告

朝鮮總督府鐵道局編　京城　明治45年

本邦及朝鮮に於ける無烟炭の需給幷滿洲産無煉炭に關する調査

藤平畝古著　滿鐵臨時經濟調査會編　大連　昭和4年

內鮮滿支關聯の企業幷に投資一覽

朝鮮銀行調査課編　京城　昭和13年

安東商工會議所統計年報(昭和2-11年, 康德4年)

安東商工會議所編　安東　昭和3-12年

安東商工會統計年報

堀內保達編　安東商工會　1940年

安東商工案內(康德六年版)

新田忠平編　安東商工會　1939年

安東商工案內

近澤秀夫著　安東商工會　1944年

安東商業會議所統計年報(明治43年)

安東商業會議所編　安東　明治44年

安東商業會議所統計年報(大正6--15年)

安東商業會議所編　安東　大正9--昭和2年

吉林商工事情

吉林日本商工會議所編　吉林　昭和11年

延吉商工案內

二村登人著　延吉　商工會　1937年

安東市商業實態調査報告書

安東商工會編　1939年

朝鮮滿洲旅館要覽(昭和5年版)

大平多女助編　京城　昭和5年

安東商工人名錄

有馬泰編　安東商業會議所　大正10年

安東商工人名錄

阿部光次編　安東商工會議所　昭和12年

安東商工人名錄

近澤秀夫編　安東商工會　1944年

安東商工人名鑑

中村太郞編   安東商工會議所   1944年

安東市に於ける組合一覽

安東商工會編   安東   1944年

安東省に於ける商會（滿洲に於ける商會(增補)續篇）

實業部臨時産業調查局編   新京   1937年

吉林商工名錄

松岡繁編   吉林商工公會   1939年

牡丹江商工名錄

佐佐木文哉編   牡丹江商工公會   1940年

牡丹江商工名錄

佐藤鍾次郞著   牧丹江商工名彔   1940年

琿春商工名錄

渡瀨正善編   琿春商工公會   1932年

龍井村支店取引先信用錄

昭和7年

滿鮮産色豆取引狀況

朝鮮銀行調查局編   京城   大正7年

滿鮮に於ける農産物市場調査
山口縣內務部編　山口　昭和9年

安東物價の實態と推移解說　（安東の物價は高いか廉いか）
安東商工公會編　安東　1942年

朝鮮對滿洲貿易の推移と其の將來
朝鮮銀行調査課編　京城　昭和12年

安東海關貿易統計表
安東商業會議所編　安東　大正10年

昭和九年上半期間琿地方貿易統計
間島日本總領事館編　間島　昭和9年

旅順，普蘭店，營口，安東海港貿易噸量統計(昭和12年度)
滿鐵奉天鐵道局總務課編　奉天　昭和13年

滿洲ニ農村に於ける一農民の租稅と農村經濟調査中間報告 (吉林省永吉縣南荒地農村經濟調査中間報告)
滿鐵經濟詔使會(野間淸)編　大連　昭和9年

安東海關課稅便覽
朝鮮總督府鐵道局編　京城　大正4年

鴨綠江岸の稅關史

長岡一郎著　東京　千歲書房　昭和17年

滿洲國稅關槪史

稅關槪史編纂委員會編　新京　經濟部關稅科　1944年

間島市金融界の推移

滿洲中央銀行編　新京　1944年

間島金融事情

東洋拓植會社間島支行編　新京　京城　昭和8年

滿洲に於ける一農村の金融(吉林省永吉縣農村中間報告)

滿鐵經濟調査會(永谷國一)編　大連　昭和10年

延吉支行檢査報告書

1941年

京圖線の全通と東北朝鮮の三港

昭和10年

朝鮮，滿洲陸運總攬

足立正行著　京城　交通評論社　昭和8年

朝鮮視察團體輸送案內映書事務擔當者打合會議事彔(昭和13年2月)

朝鮮總督府鐵道局　京城　昭和13年

鮮滿視察團體感想錄

朝鮮總督府鐵道局　龍山　昭和11,12年

北鮮經由哈爾濱輸入特定運恁の哈爾濱經濟界の及び影向(二月十五日實施)

高橋輝正編　哈爾濱　1936年

吉林會寧間廣軌鐵道豫定線路調査書

滿鐵總務部工務局設計課編　大連　大正7年

吉敦鐵路建設寫眞帖

滿鐵鐵道部編　大連　昭和14年

圖寧線建設寫眞帖

滿鐵牡丹江建設事務所編　牡丹江　昭和10年

圖寧線建設槪要--滿洲國國有鐵道

滿鐵鐵道建設局編　大連　昭和11年

敦化圖們間鐵道の完成と日滿關係

滿鐵鐵路總局編　奉天　1933年

敦化線, 天圖線建設紀要

滿鐵鐵道建設局編　大連　昭和10年

敦化線建設史

本田康喜著　大連　昭和9年

敦圖線建設工事寫眞帖

滿鐵鐵道建設局編　大連　昭和9年

新義線建設紀要(昭和14年11月)

鐵道總局編　奉天　昭和14年

新線建設に對する吉林省其他の策動情報

滿鐵情報課編　昭和5年

滿洲事變后鐵道建設

田上捻著　昭和18年

滿洲鐵道建設誌

西畑正論編　大連　昭和14年

滿洲鐵道建設秘話

滿鐵建設局(原廣)編　大連　滿鐵　昭和14年

南滿洲鐵道定規圖

鐵道部工務課編　出版

南滿洲鐵道株式會社土木十六年史及附圖

滿鐵土木課編　大連　大正15年

天圖輕便鐵道
滿鐵庶務部調査課編　大連　大正14年

吉會鐵道關係地方調査報告書(第一輯一般經濟)
滿鐵庶務部調査課編　大連　昭和3年

吉會鐵道關係地方調査報告書(第二輯東部滿洲對策要論)
滿鐵庶務部調査課編　大連　昭和4年

吉會鐵道關係地方調査報告書(第三輯農業)
滿鐵庶務部調査課編　大連　昭和3年

吉會鐵道關係地方調査報告書(第五輯行政及財政)
滿鐵庶務部調査課編　大連　昭和3年

吉會鐵道の使命と日滿關係
林利雄　東京　昭和8年

吉林省(其一吉會線關係地方)
滿鐵總務部調査課編　大連　大正8年

安東通關旅客の爲に
滿鐵奉天列車區編　奉天　昭和2年

吉林省穆稜縣內鐵道沿線調査報告
昭和9年

吉林省鐵道局所管線案內

官內政五郎著　吉林鐵道局　昭和14年

吉林鐵道局要覽

滿鐵吉林鐵道局編　吉林　昭和13年

奉吉線案內

鐵路鐵道株式會社編　大連

沿線寫眞帖

齊齊哈爾鐵道株式會社編　大連

京圖線案內(大同3年1月)

滿鐵鐵路總局編　奉天　昭和9年

京圖槪觀

吉林鐵道局女客科編　吉林　昭和11年

南滿鐵路紀要

佐田弘治郎編　大連　滿鐵　昭和2年

日中連絡運輸會議議定書及附屬書(自第10回會議至第15回會議)

南滿洲鐵道株式會社編　大連　大正11年

日滿支連絡旅客小荷物運賃算出表

鐵道省運輸局編　東京　鐵道敎育會　昭和17年

anaity

ERROR

日滿女客及貨物聯絡運輸會議議定書(第4)

　滿鐵編　大連　大正2年

日滿女客聯絡運輸加入運送業相互の關係を定むる約定案

　滿鐵編　大連　大正2年

日滿聯絡運輸女客及荷物賃率規則

　滿鐵編　大連　滿洲日日新聞社

日滿聯絡運輸に關する議事錄(明治41，42年)

　滿鐵編　大連　明治42年

日滿露聯絡運輸旅客及手荷物賃率規則

　滿鐵編　大連　大正2年

日滿露聯絡旅客運輸に關する計算規則案

　滿鐵編　大連　大正2年

日滿露旅客聯絡運輸に朝鮮鐵道の加入及現在の浦鹽大連兩路以外に朝鮮經由の經路設定に關する(1920年11月17日開催したる會議の實行委員會議事錄)

　滿鐵運輸課編　大連　大正元年

東滿の經濟事情と日滿間の貨物輸送に就いて

　岡郁編　牡丹江鐵路局　昭和14年

社線，國線，北鮮線，金福線貨物運賃率表
營口驛貨物取扱所編　營口　昭和13年

滿洲，北鮮主要都市車馬賃調(昭和12年2月)
滿鐵鐵道總局旅客課編　奉天　昭和12年

羅津港及敦圖鐵道幷その沿の經濟地理に就いて
今江勇也編　新京

大東溝不凍狀況視察講演
直木倫太郎著　安東商工會　1939年

大東港(第一輯)
大東港建設總署編　安東　1940年

大東港(第二輯)
大東港建設總署編　安東　1942年

大東港と寶東邊道庫
滿洲事情案內所編　新京　1941年

東邊道資源開發と大東港
河村淸編　新京　滿洲事情案內所　1938年

圖們江の水運
馬場錐太郎著　上海　禹城學會　昭和3年

鴨綠江の水運

馬場錐太郎著　上海　禹城學會　昭和3年

鴨綠江の水運

滿鐵産業部編　大連　昭和12年

營業別電話名簿(朝鮮，滿洲，青島)

十字屋編　大阪　大正9年

5. 社會, 政治

三江省湯原縣農村概況調查報告書

　　興農中央會　新京　興農合作社　中央調查課　1940年

寧安縣農村購買力吸收對策調查報告書

　　葛原秀治編　1943年

農業經營續篇--康德元年農村實態調查報告書

　　實業部臨時産業調查局編, 新京　1937年

農村戶別概況調查報告書(康德8年)土地所有關係. 經營地及地

庄地關係編

　　興農合作社中央會調查課編　新京　1943年

農村社會生活篇--康德元年度農村實態調查報告書

　　實業部臨時産業調查局編　新京　1937年

農村實態調查關係集計資料

　　興農部農政司編　新京　1942年

農村實態調查(綜合, 戶別)調查項目

　　興農部農政司調查課編　新京　1940年

農村實態調査 一般調査報告書(奉天省海龍縣)(上卷)
臨時産業調査局   1936年

農村實態調査 一般調査報告書 (吉林省盤石縣)
臨時産業調査局   1936年

農村實態調査 一般調査報告書 (吉林省延吉縣)
臨時産業調査局   1936年

農村實態調査 一般調査調告書 (吉林省敦化縣)
臨時産業調査局   1936年

農村實態調査幷農家經濟調査
山下啓編   大連   昭和12年

農村實態調査報告書 (通化省通化縣)
臨時産業調査局   1938年

農村實態調査報告書 (奉天省海龍縣)(上卷)
臨時産業調査局   1936年

農村實態報告書(吉林省伊通縣)
國務部 臨時産業調査局 新京   1937年

農村實態調査報告書(奉天省鐵嶺縣)
實業部臨時産業調査局   新京 1937年

農村實態調查報告書戶別調查之部(康德臨元年度)
第三分冊(黑龍江省)

實業部臨時產業調查局　新京　1937年

農村槪況調查報告書（三江省湯原縣，通河縣）

興農合作社編　新京　中央會調查課　1942年

農村槪況調查報告書(吉林省長春縣，永吉縣)

興農合作社編　新京　中央會調查課　1942年

安東省風城縣農村實態調查一般調查報告書

臨時產業調查局　1935年

興凱湖畔農村巡行

實業部農務司農政科　1934年

吉林省九台縣農村實態調查報告書

產業部農務司　1936年

吉林省盤石縣農村實態調查一般調查報告書(康德三年度)

臨時產業調查局　1936年

吉林省楡樹縣農村實態調查報告書

臨時產業調查局　1936年

縣技士見習農村實態調査報告書 (通化省通化縣)

　　産業部農務司　1938年

河東, 營口, 鐵嶺, 綏化安全農村建設の 經過幷に 現狀

　　東亞勸業會社編　昭和14年

鐵嶺縣農村實態調査報告書

　　實業部臨時産業調査局　新京　1937年

通化縣農村實態行政事情調査報告書

　　通化縣公署編　1940年

北滿農家收支狀態調査 (昭和11年)

　　滿鐵北滿經濟調査所編　哈爾濱　昭和12年

北滿農家收支狀態調査 (自昭和12年度至4年度)

　　滿鐵北滿經濟調査所編　大連　昭和15年

北滿農家經濟調査報告

　　滿鐵北滿經濟調査所(大橋興一)編　哈爾濱　昭和15年

北滿に 於ける 農家經濟收支表 (康德元年度)

　　八木聞一著　南滿洲鐵道株式會社　昭和12年

農家經濟收支 (康德元年度農村實態調査報告書)

　　實業部臨時産業調査局編　新京　1937年

農家經濟調查(昭和七年度)
　滿鐵地方部農務課　大連　編著　1935年

農家經濟調查(昭和八年度)
　滿鐵農務課編　大連　昭和10年

農家經濟調查(昭和九年度)
　滿鐵地方部農務課　昭和11年

農家經濟調查(昭和十年度)
　八木聞一　滿鐵株式會社　昭和13年大

農家經濟調查(昭和十一年度)
　滿鐵農務課　大連　編著　昭和13年

農家經濟調查(康德七年度)
　興農部農政司調查科　1941年

農家經濟調查(康德八年度)(經濟收支篇)
　興農部農政司調查科　1941年

農家經濟調查(自昭和九年度至昭和十一年度)
　關東廳經濟部農林水産課　1941年

農家經濟調查 (第一分冊) (奉天省鐵嶺縣新台村諸民屯)
　王振經輯　興農合作社中央會　1944年

農家經營經濟調查第三分冊(康德三年度)（延吉縣, 樺川縣, 富錦縣, 豊寧縣, 寧城縣）

産業部大臣官房資料科編

安東水害槪要

滿鐵安東地方事務所編   昭和10年

人口問題を基調として滿蒙拓植策の研究

外務省通商局編   昭和2年

人口統計

總務廳統計處   1938年

三江省の土地と現住戸口

三江省公署   1943年

大同二年末現住戸口統計

國務院統計處編   新京   1934年

戸口調査統計表

民政部警務司   新京   1936年

主要都市戸口數

民政部總務司資料科   新京   1935, 1936年

主要都市市街地人口戶數統計表

　治安部警務司　新京　1937年

主要都市市街地戶口統計表 (康德五, 六, 八年十二月)

　治安部警務司　新京　1941年

主要都市市街地戶口統計表 (康德九年十二月)

　警務總局　新京

關東廳人口動態統計 (昭和元, 二年)

　關東廳長官官房文書課編　大連　昭和3年

關東廳人口動態統計(昭和3年, 5-9年, 11-12年)

　關東廳　旅順　昭和4年

關東廳人口動態統計 (昭和5年)

　關東廳編　旅順　昭和6年

關東廳人口動態統計 (昭和6年)

　關東廳　旅順　昭和7年

關東廳人口動態統計(昭和7年)

　關東廳調查課編　旅順　昭和8年

關東廳人口動態統計(昭和8年)

　關東廳調查課編　旅順　昭和9年

關東廳現在人口統計(昭和6-15年)

　　關東廳調査課編　旅順　關東局　昭和7--16年

關東廳國 勢調査世帶及人口(昭和5年)

　　關東廳臨時國勢調査課　　大連　昭和6年

關東廳臨時戶口調査記述篇(大正9年10月)

　　關東廳臨時戶口調査部編　大連　大正13年

關東廳臨時戶口調査比例篇(大正9年10月)

　　關東廳臨時戶口調査部編　大連　大正13年

關東廳管內現住人口統計

　　關東廳編　大連　1934年

關東局人口動態統計(昭和9年)

　　關東局文書課編　新京　昭和11年

關東局人口動態統計(昭和11年)

　　關東局編　新京　昭和13年

關東局人口動態統計

　　關東局編　新京　1939年

關東局人口動態統計(昭和12年)

　　關東局編　新京　昭和14年

關東局國勢調查世帶及人口 (昭和10年)

關東局文書課編　新京　昭和11年

關東局管內現住人口統計(昭和7年)

關東局編　新京　昭和8年

關東局管內現住人口統計(昭和8年)

關東廳調查課編　大連　昭和9年

關東局管內現住人口統計(昭和9年)

關東局編　新京　昭和10年

關東局管內現住人口統計(昭和10年)

關東局編　新京　昭和10年

關東局管內現住人口統計(昭和10年)

關東局文書課編　新京　昭和11年

關東局管內現住人口統計(昭和11年)

關東局文書課編　新京　昭和12年

關東局管內現住人口統計(昭和12年)

關東局文書課編　新京　昭和13年

關東局管內現住人口統計(昭和13年)

關東局文書課編　新京　昭和14年

關東局管內現住人口統計(昭和14年)

    關東局文書課編　新京　昭和15年

關東局管內現住人口統計(昭和15年)

    關東局文書課編　新京　昭和16年

牡丹江鐵道局內各驛所在戶口統計表

    牡丹江鐵道局總務課資料係　昭和16年

附錄參考資料―人口動態調査表

    日滿農政硏究會新京事務所　新京　1940年

面積及人口密度表

    關東廳臨時土地調査部　大連　昭和6年

臨時戶口調査原表　第一卷　世帶戶之部

    關東廳臨時戶口調査部編　大連　大正13年

臨時戶口調査原表　第二卷　人口之部其の(大正9年)

    關東廳臨時戶口調査部編　大連　大正13年

臨時戶口調査原表　第三卷　人口之部其の(大正9年)

    關東廳臨時戶口調査部編　大連　大正13年

臨時戶口調査記述篇(大正9年10月)

    關東廳臨時戶口調査部編　大連　大正13年

哈爾濱特別市戶口調査結果表

　哈爾濱特別市公署編　哈爾濱　1936年

康德二年末滿洲帝國現住人口統計

　1936年

第一次臨時人口調査に就いて

　向井俊部編　國務院總務廳統計悽, 民政部警務司　1935年

第一次臨時人口調査報告書（書都邑編）(第四吉林市)

　國務院總務廳統計處編　新京　1936年

第一次臨時人口調査報告書（總括編）

　國務院總務廳統計處編　新京　1938年

第二次臨時人口調査報告書（總括編）

　國務院總務廳統計處編　新京　1939年

滿洲國人口調査報告書(都邑編)第一次總括編1, 3, 4卷

　統計處編　新京　1935-1938年

滿洲國現住戶口數(大同元年12月大同二年末)

　國務院統計處編　新京　1933年

滿洲國臨時人口調査報告書(第二次總括編)

　國務院 統計處編　新京　1938年

滿洲國蒙政部管內主要都市及村鎭戶口統計(康德3年1月)

蒙政部調査科編　新京　1936年

滿洲國の人口

國務院統計處編　新京　1933年

滿洲帝國現在人口

滿洲生活必需品配給株式會社調査課　新京　1939年

滿洲帝國人口統計(康德元年)

滿洲統計協會　新京　1935年

滿洲帝國年齡別人口推計統計(康德二年)

國務院統計處編　新京　1937年

滿洲帝國現住戶口統計(康德2,3年)

國務院統計處　新京　1936年

滿洲帝國現住人口統計

國務院滿洲統計協會　1935年

滿洲帝國現住戶口統計（康德四年末）

治安部警務司編　新京

滿洲帝國現住人口統計（叢編）

治安部警察司編　新京　1938年

滿洲帝國現住人口統計（年齡別，人口編）
治安部警務司編　新京　1939年

滿洲帝國現住戶口統計（康德六年末）
治安部警務司編　新京　1940年

滿洲帝國現在人口統計（康德六年10月）
治安部警務司　奉天　1941年

滿洲帝國現住人口統計（叢編及年齡別編）
警務廳統計處, 警務局編　新京　1944年

滿洲帝國現在人口統計
警務廳統計凄, 警務局編　新京　1942年

滿洲帝國面積及人口統計
國務院統計處, 警務局編　新京　1942年

滿洲帝國面積及人口統計
國務院統計處, 民政部土地局編　新京　1935年

滿洲帝國職業別人口統計
滿鐵新京支社調查室編　新京　昭和16年

滿洲の人口問題
水谷國一著　大連滿鐵調查部　昭和14年

安東省統計年報

安東省長官房計劃科編　安東省公署　1941年

吉林市勢統計年報(第1-3次)

吉林市公署編　吉林　1941年

吉林市勢統計年報(第五次)

吉林市公署編　吉林　1941年

吉林市勢統計年報(康德五年)

吉林市公署叢務科編　吉林　1939年

吉林市勢統計年報(第六次)

吉林市公署庶務科企劃股　吉林市公署 1942年

吉林市勢統計年報 (康德元年度)

吉林市公署叢務科編 新京　1936年

統計上的滿洲帝國

國務院統計處纂　新京　國務院總務廳情報處　1935年

滿洲帝國國勢圖表

國務院總務廳統計處, 建國大學研究院圖表編　新京　1940年

滿洲帝國國勢圖表 (康德7年度)

國務院總務廳統計處, 建國大學研究院圖表編　新京　1941年

滿洲帝國統計月報（第一卷第一號）

官房資料科編　新京　滿洲中央銀行　1941年

滿洲帝國統計月報（第一卷第3號）

官房資料科編　新京　滿洲中央銀行　1941年

滿洲帝國統計月報（第一卷第4-7號）

官房資料科編　新京　滿洲中央銀行　1941年

滿洲帝國統計月報（第二卷第3號）

官房資料科編　新京　滿洲中央銀行　1942年

滿洲帝國統計月報（第二卷第四號）

官房資料科編　新京　滿洲中央銀行　1942年

滿洲鐵道，人口，生產，貿易累年統計

滿鐵庶務課編　大連　昭和8年

東三省の現勢─滿洲問題題の研究

園田一龜著　奉天　大正13年

東三省の政治と外交

園田一龜著　奉天新聞社　大正14年

清朝の邊疆統治政策

東亞研究所編　東京　至文堂　昭和19年

最近の支那と滿鮮
杉本正幸　東京　大正4年

最近の南滿洲
保科紀十二　大連　大正14年

滿鮮の鏡に映して
中野正剛著　東京　大正10年

新興滿洲國の實相--附吉林省琿春經濟調査書
樋山光四郎編　東京　昭和8年

滿洲國現勢（1935年版）
滿洲國通信社　新京　1935年

滿洲國勢（1940年版）
滿洲事情案內所編　新京　1940年

滿洲國現勢（1936年版）
里見甫編　新京　滿洲國通信社　昭和11年

滿洲國現勢（1937년）
松本於惠男編　新京　滿洲弘報協會　1937年

滿洲國現勢（1938年版）
瀨怊三郎編　新京　滿洲國通信社　1938年

滿洲國現勢（1939年）

織田玉郎編　新京　滿洲國通信社　1939年

滿洲國現勢（1940年）

長澤千代造, 加藤六藏著　新京　滿洲國通信社　1940年

滿洲國現勢（1941年）

柏崎才吉編　新京　滿洲國通信社　1941年

滿洲國現勢（1942年）

織田玉郎, 里見甫編　新京　滿洲國通信社　1942年

滿洲國現勢（1943年）

滿洲國通信社　新京　滿洲國通信社　1943年

滿蒙朝鮮大觀

日本教育會編　昭和3年

日係滿洲國國民

滿洲國協和會

日滿一體の姿

光永眞之編　東京　日本電報通信社　昭和15年

間島問題の回顧

篠田治策　京城　昭和5年

間島問題の經緯
東亞經濟調查局編   東京

我が觀たる滿鮮
中野正剛著   東京   瑩雪書院   昭和16年

滿鮮と斯く見る
全國社會敎育主事協會編   東京   社會敎育會   昭和9年

滿鮮の精神研究
田中學智   東京   師子王文庫   昭和13年

滿鮮事情(文敎部推選派遣敎育家の見たる)
相良長廣   大阪   福德生命保險株式會社   昭和11年

日支鮮人百年の長計たるくき
石山福治著   京城   大正13年

滿韓開務鄙見
內田良平   京城   明治39年

鮮滿を熔爐に入れて
梁村奇智城著   大連   滿洲叢支社   昭和9年

事變前に於ける東北四省行政機構
伊藤武雄編   大連   滿鐵調查課   昭和7年

民政部主催洮安，北安鎮，延吉，承德都邑計劃議會に關する議事抄錄

　　滿鐵經濟調查會編　大連　昭和11年

滿洲帝國官廳工事經管の實際

　　馬場社　新京　滿洲司法協會　1941年

臺灣，朝鮮，關東州全國市町村便覽

　　長谷川好太郎編　東京　精華書店　大正13年

安東市例規類集

　　安東市長官房庶務科編　安東市公署　昭和16年

安東省荒廢狀況豫備調查復命書

　　臨時産業調查局編　安東　昭和11年

省政記覽（第七輯 安東編）

　　國務院總務廳情報處編　新京　1936年

省政記覽（第八輯 奉天省篇）

　　國務院總務廳情報處編　新京　1937年

躍進安東

　　安東市公署編　安東　1939年

吉林省現勢便覽

吉林省長官房編   1938年

吉林省現勢便覽

吉林省長官房   吉林   1939年

吉林省現勢便覽

吉林省長官房編   吉林   1940年

間島省例規集

間島省公署編   滿洲行政學會   1937年

圖們都市計劃槪要

滿鐵經濟調査會編   大連   昭和10年

通化縣柳河幷輯安都邑計劃案

滿鐵産業部編   1936年

通化縣輯安縣縣勢一般

輯安縣公署編   1939年

牡丹江市建設方策

南滿鐵   大連   1936年

間島警察須知

岡政久編   間島   昭和4年

特務警察情勢報告書

安東省警務廳編　安東　昭和13年

通化省治安對策の研究(治安上より見たる農民對策)

資料課　昭和14年

滿日警察行政管轄區域便覽

新京　大同印書館　1938年

滿洲國治安小史

岡部善修編　新京　滿洲國警察協會　1944年

滿洲國警務全書

滿洲國法制研究會　東京　春陽堂　昭和16年

滿洲國警察史 (上卷)

滿洲國治安部警務司編　1942年

滿洲協和會の發達

小山貞知著　東京　中央公論社　昭和16年

滿洲青年聯盟史

仙斗久吉編　新京　滿洲青年聯盟史刊行委員會　昭和8年

滿洲國と協和會

小山貞知編　大連　滿洲評論社　昭和10年

日滿條約關係資料治外法勸撤廢等に關する
　　國務院總務廳情報處編　新京　1936年

日滿條約關係資料治外法勸撤廢等に關する (新編)
　　國務院總務廳情報處編　新京　1936年

東亞關係特種條約滙纂 (有關東北的條約)
　　山內嵓代表　東京　丸善株式會社　大正元年

滿洲帝國中華民國治外法權關係條約集
　　岩松堂書店大連支店編　大連　昭和9年

支那及滿洲に於ける治外法權及領事裁判權
　　古賀元吉著　東京　日支問題研究會　昭和8年

東三省に於ける治外法權撤廢問題に關する陳情書
　　哈爾濱日本居留民會, 哈爾濱商業會議所編　哈爾濱　昭和2年

治外法權幷二鐵道附屬地行政權に聯機構改革に伴ふ經濟的影向に關する陳情書及說明書
　　大連商工會議所　大連　昭和9年

治外法權幷に滿鐵附屬地に關する問題各專門家の意見
　　滿洲研究會編　奉天　昭和10年

治外法權概說

治外法權撤廢準備調査委員會　民政部警務司　新京　1935年

治外法權撤廢及附屬地行政權移讓問題の概況

田中仙定編　新京　滿洲帝國協和會　1935年

治外法權撤廢幷滿鐵附屬地行政權の調整乃至委讓に對する滿洲國側の準備

國務院情報處編　新京　1936年

治外法權撤廢問題

佐田弘治郎編　大連　南滿洲鐵道株式會社　大正15年

治外法權撤廢要綱

第一委員會編　昭和10年

治外法權撤廢讀本

國務院總務廳情報處　新京　滿洲行政學會　1937年

治外法權撤廢讀本

國務院總務廳情報處編輯　新京　滿洲行政協會　1938年

日滿條約關係資料

國務院總務廳情報處　新京　1936年

治外法權撤廢の實績（金融行政權篇）

國務院總務廳情報處　新京　1937年

治外法權撤廢の實績（産業行政權篇）

情報處　新京　1936年

治外法權撤廢はどら向へ

賴沼三郎編　新京　滿洲國通信社　1937年

治外法權の撤廢と協和會

矢部仙吉編　奉天　滿洲帝國協和會奉天省本部　1937年

領事裁判權の撤廢に關する司法部の整備概況

情報處編　新京　1937年

滿洲國治外法權撤廢問題の考察— 治外法權撤廢の理論と實狀

岸田英治著　東京　昭和9年

滿洲國に於ける治外法權

根道廣吉編　東京　外務省情報處　昭和10年

滿洲國と躍進す—治外法權撤廢の一部撤廢とその影向

米野風實編輯　大連　昭和11年

滿洲に於ける領事裁判權撤廢に就いて

滿鐵調査課編　大連　昭和4年

吉敦鐵道問題

滿鐵庶務部調查課(佐田弘治郎)編　大正15年

白頭山定界碑

篠田治策著　東京　樂浪書院　昭和13年

邊疆問題

田中幸策著　(見〈最近支那外交史〉上卷第五章)

國境

金久保通雄著　東京　えらると雜誌社　昭和15年

滿洲國境關係の日文卷目錄

外務局調查處　新京　1940年

挽住國境問題

增田忠雄著　滿鐵弘報課編　東京　中央公論社　昭和16年

滿洲國境事情

滿洲事情案內所編　新京　1939年

滿洲國境事情

滿洲事情案內所編　新京　1940年

リットン報告書

中央公論社編　東京　昭和7年

リットン報告全文

　東京朝日新聞社編　東京　昭和7年

リットン報告附屬書

　赤松祐之著　東京　國際聯盟協會　昭和8年

支那官民が在滿鮮農を所放し其の耕地沒收事例

　佐田弘治郎編　大連　滿鐵株式會社　昭和4年

關東州幷滿洲在留邦人及外國人人口統計(第7，11，12，16回)

　外務省亞細亞局編　東京　大正4-12年

安東居留民團十年史

　朝鮮京城府　大正8年

吉林在留邦人人名錄

　仁枡林藏編　吉林興信所　昭和10年

吉林居留民會史

　兒玉多一編　吉林　民會殘務委員會　1942年

滿洲國及中華民國在留邦人及外國人統計表 (第25，26，28，29回)

　外務省亞細亞局編　東京　昭和7，9--12年

滿洲國在留邦人人口統計圖 (昭和10年末)

　外務省東亞局編　東京　昭和11年

滿洲國邦人課稅情況—附滿洲國國稅一覽表
內海治一編　大連　滿鐵　昭和10年

三江省內朝鮮人に關する調査
三江省公署警務廳編　三江省公署　1937年

長白山より見たる朝鮮及朝鮮人
杉幕南著　京城　同舟會　大正10年

永吉縣大屯鮮農部落實態調査報告
滿鐵經濟調査會　1936年

北滿に於ける朝鮮人移民の流入及定着事情
哈爾濱鐵路局編　北滿經濟調査所　1936年

對朝鮮人移民の堅實性
石森久彌著　京城　朝鮮公論社　1933年

安東朝鮮人會事務報告
安東朝鮮人會　安東　大正15年

吉林省に於ける朝鮮人事情
李福賢　1937年

在滿朝鮮人問題に關して日本
權泰山　大連　昭和8年

在滿朝鮮人現勢要覽—附在滿朝鮮人現勢圖
全滿朝鮮人民聯合會　新京　昭和12年

在滿朝鮮人現勢圖
在滿日本大使館編　昭和11年

在滿朝鮮人事情
民政部調査科　新京　1933年

在滿朝鮮人槪況
在滿日本大使館編　新京　1935年

在滿朝鮮人現狀
滿鐵調査課　大連　大正12年

在滿朝鮮人ノ窮狀と其の解決策
金三民　奉天　新大陸社　昭和6年

在滿朝鮮人問題は何處へ行く
上田念　安東　新義洲印刷株式會社　昭和6年

在滿朝鮮同胞に就いて
堂本貞一　新京　昭和9年

在滿朝鮮同胞の現狀
小笠原省三　東京　昭和8年

在滿朝鮮總督府施設紀念帖

朝鮮總督府編　京城　昭和15年

在滿朝鮮人壓迫問題調査

滿蒙硏究會　京城　昭和15年

在滿朝鮮人壓迫問題調査

滿蒙硏究會　大連　昭和3年

在滿鮮人論策

東冢正朝　大連　昭和5年

間島に於ける朝鮮人問題に就いて

天野之助著　大連　中日文化協會　昭和6年

更生途上にある滿蒙ㄴ朝鮮人--附滿洲國資源調査

金暸星　京城　滿洲新民團　昭和9年

奉天全省鮮人敎育槪況調査統計表

奉天省公署敎育廳統計係編

國內に於ける鮮係國民の實態

滿洲帝國協和會中央本部調査部　新京　1943年

南滿及東滿朝鮮人事情

京城在外朝鮮人事情硏究會　大正11年

南滿及間島琿村朝鮮人事情--(下卷)

在外朝鮮人事情會　京城　大正12年

統監府時代に於ける間島韓民保護に關する施設

朝鮮總督府文書課　東京　昭和5年

朝鮮人開拓民入植の手引

丸岡治編　新京　滿洲拓植公社　1944年

朝鮮人開拓團執務提要

1910年

朝鮮人農業移民入植概況 （康德四年度）

間島省公署　延吉　1938年

朝鮮農民の滿洲移住問題

東洋協會調查部　東京　昭和11年

新興滿洲國への移民と朝鮮人

大中信夫　大連　昭和7年

滿洲及西比利亞地方に於ける朝鮮人事情

朝鮮總督府內務局社會課編　東京　朝鮮總督府　大正12年

滿洲開發と三州人

梅木末吉(華村)著　大連　滿蒙三洲社　大正14年

滿洲農村記　（鮮農篇）

板秀英生　東京　大同印書館　昭和18年

滿洲と朝鮮人

田原茂著　奉天　滿洲朝鮮人愛義本部　大正12年

滿洲と朝鮮人

李勳求著　東京　拓務省文書課譯編　昭和8年

滿蒙の米作と移住鮮農問題

東洋協會調査部　　昭和2年

豪雨に困る安東縣在住朝鮮人被害調査書

安東日本領事館　昭和9年

鮮人農家經濟調査報告(第一編)

周利榮藏, 井田三郎編　大連　滿鐵産業部　昭和12年

鮮人農家經濟調査報告(第二編)

夏日清等編　大連　滿鐵産業部　昭和12年

滿洲國國籍幷會社國籍及資本方策

南滿鐵道株式會社經濟調査會編　大連　1935年

滿洲國の國籍問題

大平善梧　東京　昭和8年

東三省地方法令 （民國18年公布）

滿鐵調查課譯編　大連　昭和5年

東北五省區地方法令 （民國19年公布）

佐田弘治郞編　滿鐵調查課　大連　昭和6年

東北五省區地方法令

佐田弘治郞編編　南滿洲鐵道株式會社　大連　昭和6年

東北官憲所發排日法令輯

菊地淸編　滿鐵太平洋問題準備委員會國際關係部　昭和6年

問事關係參考法令集

滿洲帝國協和會編　滿洲行政學會　新京　1939年

現政關係法令輯覽

民政部地方司　新京　1938年

民籍法解說

新關勝芳著　新京　滿洲行政學會　1942年

會社法及外國法人法關係法規

哈爾濱商工公會　哈爾濱　昭和13年

武裝團體統制及其の武器の管理に關する件施行規則

開拓總局計劃科編　新京　開拓總局計劃科編　新京　1932年

國防及保安關係法規　（戒嚴）

　　滿鐵調查部編　昭和16年

米穀管理法譯說

　　滿洲糧穀會社　新京　1940年

土地關係舊法規　（吉林省之部）

　　地政局　新京　1940年

土地關係舊法規　（黑龍江省之部）

　　地政總局　新京　1940年

土地商租權槪論

　　土原信雄著　東京　弘文堂書房　昭和11年

土地商租權槪論幷商租手續詳解

　　土原信雄著　東京　弘文堂　昭和11年

開拓團法關係集

　　開拓總局總務處編　新京　1932年

地籍整理局關係法規輯覽

　　地籍整理局調查科編　新京　滿洲圖書株式會社　1937年

地籍整理關係法令集

　　殘缺

吉林省に於ける土地整理に關する法律
　　滿鐵臨時經濟調査委員會　大連　昭和14年

南滿洲に於ける土地商租問題
　　東亞勸業株式會社編　奉天　1936年

舊吉林省舊慣調查報告 (下)
　　國立中央圖書館籌備處編　新京　1944年

通化縣に於ける舊慣調查報告書
　　地籍整理局編　1939年

商租權整理中間報告書
　　地籍整理局編　新京　1937年

商租權整理に關する諸法令集
　　全滿朝鮮人聯合會編　新京　昭和11年

商租權槪說
　　滿鐵調查課(松本俠)編　大連　昭和5年

商租權の內容に關する私見
　　川村宗編　奉天　大正10年

商租地に關する調査
　　불명

商租と問題何處へ行く
川村宗編　大連　昭和5年

滿洲舊慣調查報告（租權）
宮本通治編　新京　大同印書館　昭和10年

滿洲舊慣調查報告書前篇の內(一般民地) 上, 中, 下
松本風三, 宮本通治編　新京　大同印書館　昭和11年

滿洲舊慣調查報告書（前篇 第一卷）（典の慣習）
滿鐵編　新京　昭和11年

滿洲舊慣調查報告書后篇の內（租權）
滿鐵(松本風三)編　新京　昭和11年

滿洲舊慣調查報告書（后篇 第一卷）（押の慣習）
滿鐵編　新京　昭和11年

滿洲國の土地商租手續（附書式及法令）
岡部善修　大連　昭和10年

滿蒙諸慣習槪要　附土地商租
龜淵龍長著　滿鐵調查課編　大連　大正9年

滿蒙諸慣習槪要　附商租地畝須知
滿鐵總務部調查課　東亞圖書株式會社　1920年

滿蒙諸慣習槪要　附土地商租

龜淵龍長著　大連　滿鐵　昭和4年

滿蒙諸慣習槪要　土地商租

佐田弘治郎　滿鐵　1929年再版

滿蒙に於ける土地商租權問題に就いて

庵谷忱著　日本經濟聯盟會編　奉天　昭和3年

光輝ある滿洲帝國陸軍軍官學校

高崎三一著　新京　森野出版部　1945年

陸軍大學校滿鮮戰史旅行講話集

浩田廉一編　東京　陸軍大學校將校集會所　昭和5年

最近に於ける滿洲國の治安

關東軍參謀部編　新京　昭和12年

三江地方に於ける共匪活動

治安部參謀司調査課　新京　1938年

支那新聞排日ぶり――膺懲暴日抗日宣傳

大泉忠敬編　東京　先進社出版　昭和6年

東三省に於ける官兵賊匪暴擧實例(9月19日-11月15日)

大連商工會議所編　昭和6年

迷の東邊道と探る

　江崎利雄著　東京　國際經濟研究所情報部　昭和13年

滿洲に於ける反日統一戰線運動に關する基本資料

　불명

滿洲に關する赤化宣傳事情槪要

　佐田弘治郎編　大連　南滿鐵庶務部調査課　昭和2年

開拓民に關する資料的調査研究

　東亞研究所　大連　昭和16年

開拓農場法

　開拓總局編　新京　1941年

開拓農場法關係法規集

　國井宏西編　1943年

開拓農場法提要

　平間金次郎著　滿洲拓植公社　1943年

開拓地農業に就いて—鈴木重光氏北滿視察報告座談會速記錄

　滿洲拓植公社　1940年

開拓團及開拓協同組合關係法規集

　有馬勝夫編　新京　滿洲拓植公社　1941年

開拓團地計劃關係例規輯

開拓總局編　1943年

開拓團法提要

平間金次郎著　滿洲開拓株式公社　1941年

開拓團制度提要

平間金次郎著　滿洲拓植株式會社　1944年

開拓に於ける農地分配の問題

小西后夫編　新京　開拓研究所　1943年

開拓村に於ける定住形式

滿洲國立開拓研究所　新京　1940年

開拓村に於ける雇用勞動事情調査

滿洲國立開拓研究所編　1941年

開拓叢局例規集

開拓總局編　滿洲行政學會　1939年

開拓政策に關する研究

日滿農政研究會　東京　1940年

開拓政策の展開─滿洲開拓の過去と現在

天澤不二郎　東京　河出書房　昭和19年

日本の植民政策と滿蒙と拓植事業，其の更新と振興の要を論す

　　山田武吉　大連　大正14年

日滿經濟統制と農業移民

　　日本學術振興會　東京　昭和10年

東亞事情論文集

　　慶應義塾東亞事情研究會編　東京　昭和15年

北滿開發計劃資料

　　滿鐵新京支社編

北滿農地開拓會社計劃考察主蓄農業經營案

　　滿鐵經濟調查會編　大連　昭和11年

北滿農地開拓會社計劃參考案

　　滿鐵經濟調查會編　大連　昭和11年

北滿農地開拓會社事業計劃書（改定）

　　經調部第二農業班編，大連　昭和11年

北滿開拓計劃資料（其一）

　　滿鐵北滿經濟調查所編　哈爾濱　昭和12年

北滿開拓計劃資料（其二）

　　滿鐵北滿經濟調查所編　哈爾濱　昭和12年

北滿開拓計劃資料 (其三)

滿鐵北滿經濟調查所編　哈爾濱　昭和12年

北滿拓植移民事業計劃書

阿部武治著　哈爾濱　滿鐵北滿經濟調查所　昭和13年

自由開拓團人口統計表 (昭和14年7月1日現在)

拓務省拓務局　東京　昭和15年

國策滿洲移民

凌招古一, 木村誠　東京中央情報社　昭和13年

帝國之植民地 (下)

大喜多筆一編　京城府東亞評論社　1918年

集團部落指導要綱

間島公署編　1936年

滿洲開拓農村を設定計劃--未開地拓植計劃の研究 (第一輯)

岡川榮藏著　東京　龍文書局　昭和19年

滿洲開拓民に關する資料的調査

東京　東亞研究所　昭和14年

滿洲開拓民研究文獻目錄

滿鐵總裁室弘報課　昭和16年

滿洲開拓民の現狀と百萬戶入植計劃

満洲拓植公社　新京　1939年

滿洲開拓民國策之要諦

田邊敏行　東京　昭和14年

滿洲開拓論

喜多一雄著　東京　明文堂出版　昭和19年

滿洲開拓政策關係法規

拓務省拓北局　昭和16年

滿洲開拓政策關係法規

拓務省拓務局編　東京　1942年

滿洲開拓政策基本要綱案

拓務省拓務局編　東京　昭和14年

滿洲開拓政策に就いて

永見女太郎著　新東　開拓文庫刊行會　1940年

滿洲百萬戶移民國策の全貌

都甲謙介著　満洲事情案内所編　新京　1938年

滿洲農業開拓民入植計劃と其實績

開拓總局計劃科　新京　1940年

滿洲農業移民方策
　　滿鐵經濟調查會編　大連　昭和11年

滿洲農業移民方策 (立案調查書類第二編第一卷第2號)
　　滿鐵經濟調查會編　大連　昭和10年

滿洲農業移民方策 (立案調查書類第二編第一卷第2號續1)
　　滿鐵經濟調查會編　大連　昭和10年

滿洲農業移民方策 (立案調查書類第二編第一卷第5號)
　　滿鐵經濟調查會編　大連　昭和10年

滿洲農業移民方策 (立案調查書類第二編第一卷第5號續1)
　　滿鐵經濟調查會編　大連　昭和10年

滿洲農業移民方策 (立案調查書類第二編第一卷第5號續2)
　　滿鐵經濟調查會編　大連　昭和10年

滿洲農業移民方策 (立案調查書類第二編第一卷第5號續3)
　　滿鐵經濟調查會編　大連　昭和10年

滿洲農業移民方策 (別冊) (立案調查書類第二編第一卷第5號)
　　滿鐵經濟調查會編　大連　圖31　昭和10年

滿洲農業移民方策 (別冊) (立案調查書類第二編第一卷第5號)
　　滿鐵經濟調查會編　大連　圖15　昭和10年

滿洲農業移民方策 (立案調查書類第二編第一卷第6號)
　滿鐵經濟調查會編　大連　昭和10年

滿洲農業移民方策 (立案調查書類第二編第一卷第號)
　滿鐵經濟調查會編　大連　昭和10年

滿洲農業移民方策 (立案調查書類第二編第一卷第號續1)
　滿鐵經濟調查會編　大連　昭和10年

滿洲農業移民方策—滿洲拓植株式會社設立方策　(立案調查書類第二編第一卷第7號)
　滿鐵經濟調查會編　大連　昭和10年

滿洲農業移民方策—北滿農地開拓會社設立方案　(立案調查書類第二編第一卷第5號)
　滿鐵經濟調查會編　大連　昭和10年

滿洲農業移民方策 (立案調查書類第二編第二卷第1號)
　滿鐵經濟調查會編　大連　昭和11年

滿洲農業移民方策 (立案調查書類第二編第二卷第2號)
　滿鐵經濟調查會編　大連　昭和11年

滿洲農業移民方策關係資料 (立案調查書類第二編第一卷第4號)
　滿鐵經濟調查會編　大連　昭和10年

滿洲農業移民方策關係資料
滿鐵經濟調查會編　大連　昭和10年

滿洲拓植公社關係法規(昭和14年4月, 15年6月)
拓務省拓務局　東京　昭和14年

滿洲拓植公社資料分類目錄
村山藤四郎編　滿洲拓植公社　1939年

滿洲移民の重大性
廣瀨壽助　東京　滿洲移住協會　昭和11年

滿洲移民の重要性
永田秀次郎　東京　拓務省　昭和11年

滿洲移民の重大性幷に滿洲ニ集團移住地に就いて
政局經濟調查機關聯合會編　東京　昭和11年

滿蒙拓植策の研究（人口問題を基調として-）
木下通敏著　外務省通商局　東京　昭和2年

東拓三十年の足跡
北崎房太郎著　東京　東邦通信社　昭和13年

東洋拓植株式會社三十年誌
東洋拓植株式會社編輯　東京　昭和14年

朝鮮滿洲臺灣植民地號

　　現代評論社　京城　大正12年

集合開拓民の手引

　　開拓總局　新京

滿洲開拓農民入植圖

　　滿洲開拓公社　新京　昭和14年

滿洲と開拓

　　中村繁編　滿洲建設勤勞奉仕隊本部　1943年

滿蒙問題(朝鮮問題を通して見たる)

　　崔棟　京城　昭和7年

滿鮮問題の眅趨

　　高橋三七編　京城　大陸研究社　昭和9年

滿鮮拓植株式會社五年史

　　滿鮮拓植會社編　昭和8年

滿鮮拓植株式會社五年史

　　高見成編　滿鮮拓植株式會社　1941年

在滿鮮農ノ移住入植過程ト水田經營形態

　　滿鐵調査委員會第三委員會編　大連　昭和9年

6. 文化, 教育, 宗教, 植物

奉天市教育會會況要覽

奉天市教育會編　康德10年　奉天

南滿洲に於ける外人經營文化事業調査

滿鐵地方課(蓼沼强)編　大連　昭和12年

南滿洲に於ける外人經營文化事業調査

滿鐵地方部學務課編　大連　昭和13年

滿洲帝國文敎關係職員錄

民生部大臣官房人事課編　新京　滿洲帝國敎育會　昭和13年

滿鮮文化史觀

島山喜一著　東京　刀江書院　昭和18年　再版

第三次滿洲帝國文敎年鑑

國務院文敎部編　新京　康德2年

第四次滿洲帝國文敎年鑑

國務院文敎部編　新京　康德4年

滿洲國文教年鑑(第一次)
滿洲帝國民生部　大同2年

滿洲帝國文教關係法規輯覽(上, 下)
滿洲帝國敎育會編　新京　1938年

滿洲帝國文教關係法規輯覽(康德四年度)
陳叔達編輯　新京　滿洲帝國敎育會編　1938年

滿洲帝國文教關係法規輯覽(附錄)
滿洲帝國敎育會編　新京　1938年

滿洲帝國文教部年鑑
國務院文敎部等編　新京　1932年

滿洲帝國文教部年鑑
國務院文敎部等編　新京　1933年

滿洲帝國文教部年鑑
國務院文敎部等編　新京　1934年

滿洲帝國文教部年鑑
國務院文敎部等編　新京　1935年

滿洲帝國文教部年鑑
國務院文敎部等編　新京　1936年

滿洲帝國文敎統計一覽表（記述篇）

滿洲帝國民生部編　奉天　滿洲共同印刷株式會社　1935年

滿洲朝鮮新聞雜誌總攬

中村明星編　東京　新聞解放滿鮮支社　昭和4年

東支鐵道沿線敎育施設の現況

滿鐵會社編　哈爾濱事務所　大正14年

關東廳, 文部省, 朝鮮總督府, 臺灣總督府現行學事法規

關東廳學務課編　大連　昭和7年

吉林省敎育槪要

吉林省敎育會編　吉林　1937年

地方敎育狀況調査報告書

地方敎育狀況調査班編　新京　1935年

在滿朝鮮人學事及宗敎統計

文敎部調査科編　新京　1936年

在滿朝鮮人敎育調査表

文敎部總務司調査科編　新京　1936年

在滿鮮人學校調査

滿鐵編　大連　昭和4年

在滿鮮人と教育問題

桑畑忍著　大連　昭和4年

全國學校統計

滿洲國文敎部學務司總務課編　新京　1935年

學校敎育統計（康德4年6月）

滿洲帝國民生部編　新京　1941年

奉天省各縣敎育視察報告書

奉天省公署敎育廳編　奉天　1934年

奉天省敎育事情

曹德宣著　大連　大正12年

奉天省敎育統計

滿洲帝國民政部編　新京　1932年

南滿洲敎育槪況

關東都督府民政部編　旅順　大正5年

滿洲學校敎育槪況

滿洲國文敎部編　新京　1943年

滿洲國少數民族敎育事情

文部省學務司編　新京　1934年

滿洲國敎育方針 (附社會施設)

　滿鐵經濟調査會　大連　昭和10年

滿洲國敎育槪況

　民生部敎育司　新京　滿洲帝國敎育會　1942年

民主國の敎育

　皆川豊治著　新京　挽住帝國敎育會　1939年

滿洲帝國文敎關係職員錄

　文敎部總務司編　新京　1936年

滿洲帝國學事要覽

　文敎部敎務司總務課編　新京　1936年

滿洲帝國學事要覽

　文敎部敎務司編　新京　1937年

滿洲帝國學事要覽

　文敎部敎務司編　新京　1939年

滿洲帝國學事要覽

　文敎部敎務司編　新京　1941年

滿洲帝國學事要覽

　文敎部敎務司編　新京　1943年

滿洲教育史

島田道彌著　大連　昭和10年

鮮滿の興亞教育

伊藤猷典著　東京　黑目書店　昭和17年

滿洲國初等教育施設一覽表

民生部教育司編　東京　滿洲帝國教育會　1939年

大同學院同窓會會員名簿

金子龍吉編　新京　大同學院同窓會　1944年

建國大學要覽

建國大學編　新京　1941年

建國大學要覽

建國大學編　新京　1944年

第三回滿鮮聯合醫學會總會次第及講演要旨

滿洲醫學會　昭和14年

滿洲國各民族創作選集（1, 2）

川端康成著　東京　創元社　昭和14年

遼西ニ於ケル唐ノ太宗高句麗東ニ關スル傳說

滿鐵錦州鐵道局總務課資料係(三浦浩)編　錦州　昭和15年

鮮滿風物記

治波武夫 東京　大阪屋號書店　大正9年

亞細亞の旅(滿蒙抄, 朝鮮抄)

小生夢坊著　東京　日滿新興文化協會　昭和13年

瀋陽日記, 瀋淸傳

細井肇編　東京　自由討論社　大正11年

滿鮮雜錄

岩崎淸七著　秋豊園出版社　昭和11年

黎明の半島と大陸

早川巳之利　大連　大正14年

淸韓戰時風景寫眞帖

山本寫眞館編　東京　明治38年

滿韓鐵道唱歌

大和田建樹　(출판시간 등 미상)

宗敎調査資料 (第二—九集)

民生部厚生司敎化科編　1937-1942年
第二集: 吉林, 間島, 濱江省宗敎調査報告書
第三集: 民間信仰調査報告書
第四集: 熱河, 錦州兩省宗敎調査報告書

第五集: 滿洲宗敎槪況
第七集: 基督敎調査報告書

奉天全省敎派別一覽表
奉天省公署敎育廳統計係編　奉天　1932年

奉天全省宗敎調査統計表
奉天省公署敎育廳統計係編　奉天　1932年

奉天を中心とせる外人傳道師の足跡
千田万三著　奉天　昭和15年

南滿洲に於ける宗敎槪況
松尾爲作著　敎化事業奬勵資金財團編　大連　昭和6年

滿洲及び朝鮮に於けるカトリツク敎につて
丸善會社編　東京　昭和19年

滿洲宗敎の槪觀
都甲文雄著　東京　日滿佛敎協會

滿洲宗敎誌
芝田硏三著　大連　滿鐵社員會　昭和15年

滿洲帝國とカトリツク敎
田口芳五郎著　東京　カトリツク中央出版部　昭和10年

滿洲基督教史話

竹森滿佐一著　東京　新生堂　昭和15年

滿洲基督教年鑑

滿洲基督教會聯合會編　新京　1938年

滿洲基督教苦闘史

滿鐵弘報課編　大連　昭和14年

滿洲と朝鮮薩滿教に就いて

秋葉隆著　大連　昭和8年

滿洲に於ける天主教

大井二郎著　滿鐵旅客課　奉天　昭和14年

滿洲の宗教

加藤六藏編　新京　滿洲事情案內所　1944年

滿蒙の民族と宗教

赤松智城, 秋葉隆編輯　東京　大阪屋號書店　昭和16年

間島省安圖縣城ノ地質及地下水

地質調査所編　昭和13年

琿春─土門子方面兵要給水調査地質報告

昭和9年

滿洲東部の地質及地誌
井關貞和編　大連　滿鐵地質調査所　昭和12年

龍井圖幅地質說明書
西田彰一著　新京　滿洲國地質調査所編　1940年

圖佳線(圖們—牡丹江)沿線地質調査報告書
滿鐵地質調査所編　新京　昭和12年

(土名對照)滿鮮植物字彙
村田懋磨編　東京　目白書院　昭和9年

北滿及東滿地方牧野植生調査報告
南滿鐵調査部編　大連　昭和15年

安東植物目錄
宮代周輔編　安東　昭和5年

吉林地方植物調査報告書
萬代源司著　吉林鐵道局編　昭和14年

吉林地方ニ於ケル植物區系地理上ノ研究
吉林鐵道局附業課編　吉林　昭和15年

南滿洲植物目錄
滿鐵中央實驗所編　大連　大正元年

植物目錄(北滿, 東滿)

菊地淸著　大連　滿鐵　昭和16年

滿洲國植物攷

北川政夫著　新京　大陸科學院　1939年

滿洲國植物攷和名索引

渡邊由規夫著　新京　大陸科學院　1940年

滿洲樹木圖說

佐藤潤平編　東京　日本印刷株式會社　昭和17年

滿洲植物分科檢索表

大賀一郎著　昭和14年

滿洲植物誌 (第一卷)

コマロフ著　滿鐵庶務部調査課譯　大阪每日新聞社　昭和2年

滿洲植物誌 (第二卷)

コマロフ著　滿鐵庶務部調査課譯　大阪每日新聞社　昭和2年

滿洲植物誌 (第三卷上)

コマロフ著　滿鐵庶務部調査課譯　大阪每日新聞社　昭和2年

滿洲植物誌 (第三卷下)

コマロフ著　滿鐵庶務部調査課譯　大阪每日新聞社　昭和2年

滿洲植物誌 (第四卷)

コマロフ著 滿鐵庶務部調査課譯 大阪每日新聞社 昭和5年

滿洲植物誌 (第五卷)

コマロフ著 滿鐵庶務部調査課譯 大阪每日新聞社 昭和6年

滿洲植物誌 (第六卷上)

コマロフ著 滿鐵庶務部調査課譯 大阪每日新聞社 昭和7年

滿洲植物誌 (第六卷下)

コマロフ著 滿鐵庶務部調査課譯 大阪每日新聞社 昭和7年

滿洲植物誌 (第七卷)

コマロフ著 滿鐵庶務部調査課譯 大阪每日新聞社 昭和8年

滿洲植物圖說

滿鐵會社編 大連 大正3年

滿蒙支那及朝鮮植物文獻目錄

佐藤潤平著 大連 關東廳 昭和5年

滿洲植物寫眞輯

滿蒙植物寫眞會編 大連 昭和3--6年

滿蒙植物目錄

滿鐵興業部農務課編 大連 大正14年

大同學院論叢（第一輯）

　大同學院編　新京　滿洲行政學會　1939年

大同學院論叢（第二輯）

　大同學院編　新京　滿洲行政學會　1939年

大同學院論叢（第三輯）

　大同學院編　新京　滿洲行政學會　1940年

大同學院論叢（第五輯）

　大同學院編　新京　滿洲行政學會　1941年

大同學院論叢（第六輯）

　大同學院編　新京　滿洲行政學會　1942年

東亞論叢（第三輯）

　小田內通敏著　東京　文求堂書店　昭和15年

北亞細亞學報（第一輯）

　北亞細亞文化研究院編　東京　昭和17年

北亞細亞學報（第二輯）

　北亞細亞文化研究院編　東京　昭和18年

北亞細亞學報（第三輯）

　北亞細亞文化研究院編　東京　昭和19年

建國大學硏究院 硏究期報 (第一輯)

　滿洲帝國協和會 建國大學分會編　新京　1941年

建國大學硏究院 硏究期報 (第二輯)

　滿洲帝國協和會 建國大學分會編　新京　1941年

建國大學硏究院 硏究期報 (第三輯)

　滿洲帝國協和會 建國大學分會編　新京　1942年

建國大學硏究院 硏究期報 (第四輯)

　滿洲帝國協和會 建國大學分會編　新京　1942年

建國大學硏究院 硏究期報 (第五輯)

　滿洲帝國協和會 建國大學分會編　新京　1943年

滿洲學報 (第一--四合釘本)

　滿洲協會編　大連　昭和7, 8年 (內容: 滿洲歷史)

滿洲學報 (第五輯)

　滿洲協會編　大連　昭和12年 (內容: 滿洲歷史)

滿洲學報 (第六輯)

　滿洲協會編　大連　昭和16年 (內容: 滿洲歷史)

滿洲學報 (第七輯)

　滿洲協會編　大連　昭和17年 (內容: 滿洲歷史)

滿洲學報 (第八, 九合釘本)

滿洲協會編　大連　昭和19年 (內容: 滿洲歷史)

滿洲硏究團報告 (第一回)

大東亞日本靑年聯盟會編　東京　昭和10年
內容: 間島地方朝鮮人問題考察, 東邊道匪賊動向, 滿洲農家經
濟調査

滿蒙叢書 (第一卷)

內藤虎次郎編　東京　滿蒙叢書刊行會　大正8年

滿蒙叢書 (第二卷)

內藤虎次郎編　東京　滿蒙叢書刊行會　大正8年

滿蒙叢書 (第三卷)

內藤虎次郎編　東京　滿蒙叢書刊行會　大正10年

滿蒙叢書 (第四卷)

內藤虎次郎編　東京　滿蒙叢書刊行會　大正10年

滿蒙叢書 (第五卷)

內藤虎次郎編　東京　滿蒙叢書刊行會　大正8年

滿蒙叢書 (第七卷)

內藤虎次郎編　東京　滿蒙叢書刊行會　大正12年

滿蒙叢書 (第九卷)

內藤虎次郎編　東京　滿蒙叢書刊行會　大正10年

滿蒙叢書 (第十七卷)

內藤虎次郎編　東京　滿蒙叢書刊行會　大正11年

滿蒙全書 (第一卷)

滿鐵調查課 大連　大正11, 12年

內容: 歷史, 地理, 氣象, 風俗, 宗敎, 敎育

滿蒙全書 (第二卷)

滿鐵調查課 大連　大正11年

內容: 行政, 財政, 軍事

滿蒙全書 (第三卷)

滿鐵調查課 大連　大正12年

內容: 農林, 畜産, 水産

滿蒙全書 (第四卷)

滿鐵調查課 大連　大正11年

內容: 工業

滿蒙全書 (第五卷)

滿鐵調查課 大連　大正10年

內容: 商業, 交通, 金融

滿蒙全書 (第六卷)

滿鐵調査課 大連　滿蒙文化協會　大正12年

滿蒙全書 (第七卷)

滿鐵調査課 大連　大正12年
內容: 都市

滿蒙全集 (第一卷)

滿蒙學校出版部編　　東京　昭和9年
內容: 滿洲歷史, 地理, 交通

滿蒙全集 (第二卷)

滿蒙學校出版部編　　東京　昭和9年
內容: 民情風俗, 家屋建築

滿蒙全集 (第三卷)

滿蒙學校出版部編　　東京　昭和9年
內容: 商業, 工業, 鑛業, 水産

滿蒙全集 (第四卷)

滿蒙學校出版部編　　東京　昭和9年
內容: 農業, 畜産, 林業

滿蒙全集 (第五卷)

滿蒙學校出版部編　　東京　昭和9年
內容: 金融財政, 移民, 衛生

滿蒙全集 (第一卷)

薗井秀男編   東京   滿蒙學校出版部編   昭和10年   增補四版
內容: 滿洲歷史, 地理, 交通

滿蒙全集 (第二卷)

薗井秀男編   東京   滿蒙學校出版部編   昭和10年   增補四版
內容: 民情風俗, 家屋建築

滿蒙全集 (第三卷)

薗井秀男編   東京   滿蒙學校出版部編   昭和10年   增補四版
內容: 商業, 工業鑛山, 水産

滿蒙全集 (第四卷)

薗井秀男編   東京   滿蒙學校出版部編   昭和10年   增補四版
內容: 農業, 畜産, 林業

滿蒙全集 (第五卷)

薗井秀男編   東京   滿蒙學校出版部編   昭和10年   增補四版
內容: 金融財政, 移民, 衛生

滿蒙硏究

片岡重助編   東京   社會敎育會   昭和6年

滿蒙硏究

滿蒙硏究會編   大連   昭和3年

滿蒙調査復命書 (第一卷)

　關東都督府民政部編　大連　大正4年

滿蒙調査復命書 (第二卷, 三, 四卷)

　關東都督府民政部編　大連　大正5年

滿蒙調査復命書 (第五, 六, 七卷)

　關東都督府民政部編　大連　大正5, 6年

滿蒙調査復命書 (第八, 九, 十卷)

　關東都督府民政部編　大連　大正6年

滿蒙調査復命書 (第十一卷)

　關東都督府民政部編　大連　大正7年

7. 年鑑

大滿洲帝國年鑑

　滿洲通信社編纂　新京　1944年

在鮮滿支吉備年鑑

　笠原敏二編　京城　在朝鮮滿支岡山縣人聯合會山陽出版社　昭和13年

建設年鑑（康德10年版）

　滿洲帝國協會科學技術聯合部編　新京　1943年

滿日年鑑

　滿洲日報社編　大連　昭和9年

滿日年鑑

　南滿洲鐵道株式會社編　大連　滿洲日報社　昭和10年

滿洲開拓年鑑

　藤澤忠雄編　新京　滿洲國通信社　1940年

滿洲開拓年鑑

藤澤忠雄編　新京　滿洲國通信社　1941年

滿洲開拓年鑑

天野良和編　新京　滿洲國通信社　1942年

滿洲開拓年鑑

滿洲國通信社　新京　1940年

滿洲年鑑（滿蒙年鑑 改題）

中溝新一編　大連　滿洲文化協會　昭和8年

滿洲年鑑

南滿洲鐵道株式會社　大連　滿洲日日新聞社　昭和9年

滿洲年鑑

大連日日新聞社　滿洲日日新聞社編　大連　昭和14--17年

滿洲年鑑

本村武盛編　大連　滿洲日日新聞社　昭和10年

滿洲年鑑

本村武盛編　大連　滿洲日日新聞社　昭和11年

滿洲年鑑

本村武盛編　大連　滿洲日日新聞社　昭和12年

滿洲年鑑

芝田研三編　大連　滿洲日日新聞社　昭和13年

滿洲年鑑

田中總一郎編　大連　滿洲日日新聞社　昭和14年

滿洲年鑑

福富八郎編　大連　滿洲日日新聞社　昭和15年

滿洲年鑑

福富八郎編　大連　滿洲日日新聞社　昭和16年

滿洲年鑑

福富八郎編　大連　滿洲日日新聞社　昭和17年

滿洲年鑑

福富八郎編　大連　滿洲日日新聞社　昭和18年

滿洲年鑑

滿洲日報社編　奉天　昭和20年

滿洲國年鑑

佐藤四郎編　大連　滿洲書院　昭和17年

滿洲帝國年鑑

國務院總務廳統計處編　新京　滿洲統計協會　1936年

滿蒙年鑑

平林方勝編　大連　滿蒙文化協會　大正11年

滿蒙年鑑

平林方勝編　大連　滿蒙文化協會　大正12年

滿蒙年鑑

笠原博編　大連　滿蒙文化協會　大正13年

滿蒙年鑑

滿蒙文化協會　大連　大正14年

滿蒙年鑑

中溝新一編　大連　中日文化協會　大正15年

滿蒙年鑑

中溝新一編　大連　中日文化協會　大正16年

滿蒙年鑑

中溝新一編　大連　中日文化協會　昭和3年

滿蒙年鑑

中溝新一編　大連　中日文化協會　昭和4年

滿蒙年鑑

中溝新一編　大連　中日文化協會　昭和5年

滿蒙年鑑

　滿洲文化協會編　大連　中日文化協會　昭和7年

滿蒙年鑑

　大連日日新聞社編　大連　昭和11年

滿蒙年鑑

　中溝新一編　大連　中日文化協會　昭和3年

8. 目錄，索引

175種日本期刊中東方學論文篇目
于式玉等編　北平　燕京大學圖書館　1940年

大連圖書館及漢圖書分類目錄
柿沼介編輯　大連　中日文化協會　昭和5年

大連圖書館資料室資料分類目錄（第二輯）
大佐三四五　大連　滿鐵圖書館　昭和15年

支那挽住關係誌古書目錄
波多野重太郎　東京　岩松堂書店　昭和10年

支那ニ關スル滿鐵調查刊行物目錄
滿鐵經濟調查會編　大連　昭和10年

立案調查書類文獻目錄
滿鐵産業部編　大連

立案調查書類目錄
滿鐵經濟調查會編　大連　昭和10年

立案調査書類目錄 (第三輯別冊)
　滿鐵經濟調査會編　大連　昭和11年

立案調査書類目錄 (第四輯)
　滿鐵經濟調査會編　大連　昭和13年

立案調査書類目錄 (第六輯)
　滿鐵調査部　大連　昭和15年

立案調査書類目錄 (第十輯)
　滿鐵調査部編　大連　昭和17年

關東廳圖書目錄
　關東廳長官官房文書課編　大連　昭和8年

亞細亞文庫圖書目錄
　竹內正一編　哈爾濱　滿鐵哈爾濱圖書館　昭和14年

亞細亞文庫圖書目錄 (追錄)
　竹內正一編　滿鐵哈爾濱圖書館　昭和17年

年鑑年報目錄
　中島宗一著　大連　南滿洲鐵道株式會社　昭和12年

全滿24圖書館共同--滿洲關係及漢書件名目錄
　滿鐵會社編　大連　右文閣　昭和7年

雜誌重要記事索引

滿鐵調査局編　大連　昭和18年

雜誌新聞重要記事索引目錄

木村量平編　新京　滿洲重工業開發社　1941年

雜誌新聞重要經濟記事索引

奉天商工會編　奉天　1940年

社內刊行物解說（第一卷）

滿鐵東亞經濟調査局編　大連　大正15年

社內刊行物保管資料分類目錄

滿鐵調査部資料課編　大連　昭和14年

社會政策時報資料目錄

滿鐵撫順炭鑛圖書室編　大連　昭和14年

佐原文庫分類目錄

衛藤利夫著　奉天　滿鐵奉天圖書館　昭和11年

定期入手資料目錄

滿洲國産業部資料室編　新京　昭和11年

奉天國立圖書館內舊記整備所藏舊北滿鐵路督辦公署關係文書目錄

滿鐵調查部編　大連　昭和14年

國內發行出版物一覽表

民政部社會司編　新京　1938年

國務院文庫藏書目錄

國務院文庫編　新京　國務院總務廳文書課　1939年

國務院文庫藏書目錄（追錄）

國務院文庫編　新京　國務院總務廳文書課　1943年

國通調查部及漢圖書分類目錄

滿洲國通信社調查部編　新京　1940年

圖書目錄

鞍山圖書館編　鞍山　大正15年

圖書目錄

鞍山製鋼所庶務課圖書室編　鞍山　昭和4年

圖書分類目錄

間島省民衆敎育館附設圖書館編　間島　1940年

圖書分類目錄

奉天商工會編　奉天　1941年

圖書目錄

滿鐵哈爾濱事務所資料室　哈爾濱　昭和7年

圖書目錄

司法部總務司調查課編　新京　1935年

圖書目錄（追錄）

財政部總務司資料課編　新京　1936年

圖書館목록（追錄）

民生部大臣官房資料課編　新京　1937年

圖書目錄

橋口美平編　大連　滿鐵鐵道研究所　昭和12年

圖書目錄

日滿商事株式會社資料係編　新京　1940年

圖書目錄

河井駒雄編　新京　滿洲生活必需品株式會社　1942年

圖書目錄

經濟部資料課編　新京　1944年

岩松堂中國滿蒙關係文獻資料誌
波多野重太郎編　新京　1944年

岩松堂中國滿蒙關係文獻資料誌
岩松堂書店新京支店古典部編　新京　1940年

建國大學圖書特殊目錄 (第三輯--東亞關係洋書)
建國大學研究院資料室, 建國大學圖書課編　新京　1940年

南滿洲鐵道株式會社刊行物目錄
滿鐵調查部編　大連　昭和13年

南滿洲鐵道株式會社刊行物目錄
水谷國一著　大連　滿鐵　昭和16年

哈爾濱圖書館北滿關係雜誌記事索引
竹內正一編　哈爾濱　滿鐵鐵道總局哈爾濱圖書館　昭和15年

哈爾濱圖書館産業關係雜誌記事索引
竹內正一編　哈爾濱　滿鐵鐵道總局哈爾濱圖書館　昭和16年

哈爾濱圖書館北滿關係雜誌記事索引 (第一號)
竹內正一編　哈爾濱　滿鐵鐵道總局哈爾濱圖書館　昭和15年

昭和9, 10年度東洋史關係文獻目錄
東京文化學院京都研究所編　東京　昭和12年

昭和16年期社內各個所受入雜誌新聞一覽表

　　滿鐵調查部編　大連　昭和16年

追加圖書目錄（1938．1－－1939．3）

　　滿洲國民生部大臣官房資料課　新京

重要雜誌記事索引

　　興農部農政司調查局編　新京　1941年

頒布禁止普通出版物

　　國務院總務廳弘報處編　新京　1932－－1942年

新京特別市圖書館及漢圖書分類目錄

　　山崎米治印刷　昭和16年

新聞雜誌目錄

　　滿鐵事務所調查室編　上海　昭和15年

新聞重要記事索引

　　滿鐵調查局資料課第一資料係編　大連　昭和18年

滿洲支那關係資料集成

　　東京市立駿河臺圖書館　東京　昭和8年

滿洲關係資料集成

　　河村淸編輯　新京　滿洲事情案內所　1939年

滿洲國立奉天圖書館增加圖書分類目錄 (1935. 7－1936. 12)

　　國立奉天圖書館　1937年

滿洲帝國外務局圖書分類目錄

　　滿洲帝國外務局編　新京　1938年

滿洲帝國國務院文庫藏書目錄

　　滿洲國國務院總務廳官房文書課編　新京　1939年

滿洲硏究主要書目

　　田口稔編　大連　昭和8年

滿洲資料匯報總目次

　　滿鐵調査部編　大連　昭和9年

滿鐵大連圖書館及漢圖書分類目錄 (第八輯)

　　滿鐵大連圖書館編　大連　昭和9年

滿鐵大連圖書館增加圖書分類目錄

　　大佐三四五編　東亞印刷株式會社　昭和13年

滿鐵刊行分類目錄

　　白鳥庫吉編　大連　滿鐵庶務部庶務課　大正12年

滿鐵刊行物目錄 (別冊)

　　松本豊三編　大連　滿鐵鐵道會社　昭和11年

滿鐵刊行物目錄

水谷國一編　大連　滿鐵會社　昭和16年

滿鐵經濟調查會調查目錄（一）

滿鐵總務部資料課編　大連

滿鐵資料綜合目錄年報

水谷國一編　大連　滿鐵會社　昭和5年

9. 雜誌, 新聞

滿洲33年間の回顧

滿蒙　昭和8年 4月

東三省の過去及將來

滿蒙　大正15年 2月

滿洲國三大國策を決定

滿洲評論　昭和14年 4月

滿洲事變

新滿洲國讀本　昭和7年 10月

滿洲主要都邑人口

自由研究泉　昭和13年 3月 3號

主要都邑三十年后人口豫想表

第二次政務年報 康德元年

滿洲國面積民族別戶口

滿洲國現勢 康德9年

舊東北四省建置沿革
國稅 康德2年 5月

地方行政區別
第二次滿洲帝國年報 康德2年

元明時代滿洲交通路圖
滿洲歷史地理 2卷 昭和15年 9月

日滿交通略圖
滿支旅行年監 昭和18年

滿洲自動車网略圖
滿洲交通統計集成 昭和10年 6月

滿洲鐵道略圖
日本の滿洲開發 昭和7年 5月

滿洲鐵道一覽
第二次滿洲帝國年報 康德2年

滿洲諸鐵道槪要
新滿洲への里標 昭和7年 4月

東三省鐵道の現狀
滿蒙を踏破して 昭和5年 1月

滿洲未成鐵道一覽
滿洲建國 と五省の富源 康德7年 11月

東支鐵道の回收
滿洲の今昔 昭和16年 9月

東三省鐵路槪要
東三省經濟月刊 民國19年 6月

滿洲各大河の水運
滿洲憂患史 民國13年 10月

滿洲帝國經濟事情(3-5)
國稅 康德3年 2月

滿洲國貿易の起源
滿洲憂患史 民國13年 10月

滿洲國各港出輸貿易主要國別表
經濟統計月報 康德7年 3月

滿洲主要經濟團體調査表
滿鐵調査月報 昭和10年 3月

重要糧穀之統制命令
滿洲特産月報 康德7年 4月

主要糧穀收買價格提高

滿洲特産月報　昭和14年 3月

各省別租税種類

滿洲國現勢　康德2年

我國主要銀行一覽表

國税　康德3年 1月

**東三省に於ける中國側銀行の內容 – 奉天票の將來—標金と
鈔票相場の采算法 銀に關する 著書紹介**

滿蒙　大正13年 6月號

金融合作社與一般民衆之關係

北滿半月刊　康德元年 12月

東三省官銀號

日本の滿洲開發　昭和7年 12月

農業戶數の推移

地政　康德9年 2月

東北的經濟富源

邊疆建設　民國35年 10月

滿洲農家經濟調査

第一回滿洲研究團報告 4編　昭和15年 11月

東北農業經濟之現態及其將來

東三省經濟月刊　民國19年 6月

康德7年土地利用狀況

地政　康德9年 2月

省別耕作面積の推移

地政　康德9年 2月

農産物(附圖)

新滿洲國讀本　昭和7年 10月

康德九年度農産物增産出荷政策

滿洲評論　昭和17年 4月

滿洲農業政策の重點

滿洲評論　昭和12年 5月

滿洲農業の諸問題

藝文　康德9年 8月

第一次農産物收穫豫想省別作況槪要

滿洲特産月報　昭和14年 8月

農業生産の增加
日本の滿洲開發　昭和7年 5月

特産交易之變遷
滿洲特産月報　康德6年 10月

省別主要糧穀—石當價格の推移
地政　康德9年 2月

農業上より現たる滿蒙の富源
滿蒙之文化　大正10年 1月

鴨綠江の筏
滿洲讀本　昭和16年 4月

鴨綠江大鐵橋(圖片)
滿洲大觀　昭和10年 3月

鐵橋 と 鴨綠江(圖片)
滿洲國讀本　昭和9年　3月

土地制度規程
南岭　康德4年 1月

滿洲國に於ける土地制度
滿洲公論　昭和15年 2月

土地行政

第一次民政年報　大同2年

東北中共勢力的叢淸算

東北公論　1946年 12月

社會事業團體數

滿洲國現勢　康德9年

滿洲帝國協和會の排共宣言

滿洲評論　昭和11年 12月

滿洲帝國協和會

滿日人名泉 第一,　滿洲帝國政府機關　康德7年 8月

中央政府

國勢槪觀　昭和13年 7月

三千萬民衆の建國促進大運動

滿洲建國と 五省富源　康德7年 11月

排日每日

滿洲建國の 人人　昭和9年

在滿鮮人の生活線絶たる

滿洲建國と 五省の富源　康德7年 11月

群匪全滿に蜂起
    康德7年 11月

東三省の排日民衆運動
    滿蒙   昭和2年 10月

滿洲共匪の現勢と治安對策の方向
    滿洲評論 昭和11年 2月

滿洲國國防, 治安政策の現勢
    滿洲評論   昭和12年 1月

全國省(廳)別配置表
    第二次滿洲帝國年報   康德2年

東北國境問題
    邊疆建設   民國35年 11月

居留外國人統計表
    民政部半月刊   康德元年 4月

東北開拓現況之鳥瞰
    邊疆建設   民國35年 10月

《支那農民の北滿植民と前途》
    昭和6年 4月

滿洲農業移民政策の諸問題(上, 下)

滿洲評論　昭和12年 3月　12卷

滿洲移民

滿蒙講座　昭和8年 5月

朝鮮人滿洲移住沿革

滿蒙之文化 大正11年 11月

滿蒙移民槪要

第一回滿洲硏究團報告　民國35年 11月

滿蒙移民槪觀

第一回滿洲硏究團報告 6編　昭和15年 12月

滿洲の未耕地と移民用地

滿洲評論　昭和13年 5月　14卷 20號

朝鮮人開拓民

滿洲開拓年鑒 康德8年

滿洲開拓政策基本要綱

滿洲開拓年鑒　康德8年

鴨綠江岸の開墾

滿洲の今昔　昭和16年 9月

朝鮮人開拓民統計現況一覽

滿洲開拓年鑒   康德9年

集團開拓團現況

滿洲國現勢   康德8年

自由開拓民現況一覽

滿洲國現勢   康德6年

建國以後に於ける滿洲軍國主要作戰參加狀況調查表

滿洲國現勢   大同2年

南滿州鐵道株式會社敎育施設一覽

本社經營學事統計表   大正11年 4月

國鐵沿線學校調查表

見《國鐵沿線福祉施設幷風敎調查表》   昭和13年 2月

高等敎育機關

滿洲國現勢   康德9年

高等敎育機關一覽(東北各市)

滿洲國現勢   康德6年

滿洲帝國大同學院

南岭   康德4年 12月

全國高級小學統計表
文敎月刊　康德元年　2卷1號

全國初等敎育統計表
文敎月刊　康德元年　2卷1號

初等敎育機關統計(東北各省市)
滿洲國現勢　康德6年

初等, 中等敎育機關統計表
滿洲國現勢　康德9年

小學校(統計表)
滿洲帝國文敎年鑒　康德3年　12月

開拓地靑年學校一覽表
滿洲開拓年鑒　康德8年

全國各種社會敎育機關數統計表
民政部半月刊　康德元年　4月

全國各種社會敎育機關數統計表
文敎月刊　大同2年　10月

全國社會敎育機關數表
滿洲敎育史　昭和10年　12月

基督教徒聚會

宗教調查資料　康德7年 12月

東三省之高麗人

東省經濟月刊　民國19年 8月 6卷 8號

宗教

大滿洲帝國年鑒　康德11年

談東北五大宗敎

邊疆建設　民國36年 1月

全國寺廟布敎者信徒數目叢計表

文敎月刊　大同2年 6月

所在地別宗敎表

在滿朝鮮人學事及宗敎統計　康德3年 6月

各種宗敎の現狀

滿洲帝國年報　康德3年 5月

全國各省別宗敎分布圖

滿洲國文敎年鑒　康德元年 3月

滿洲に於ける基督敎文化事業の現況

南滿洲に於ける外國人經營文化事業調査　昭和12年 3月

基督教男女布教教育養成機關一覧

　宗教調査資料　康德7年 12月

主要基督教社會事業一覽表

　宗教調査資料 7輯　　康德7年 12月

渤海國

　滿洲教育史略　昭和8年 3月

滿洲國地圖

　滿洲建國大秘歷史　昭和8年 1月

渤海國圖

　日滿古代の國交　昭和8年 8月

滿洲に於ける元の疆域

　滿洲歷史地理 2卷5篇　　大正2年 9月

遼代滿洲國(圖)

　滿洲歷史地理 2卷　大正15年 9月

元代滿洲國(圖)

　滿洲歷史地理 2卷　大正10年 9月

明代建州衛圖

　滿洲歷史地理 2卷　大正15年 9月

清代滿鮮境界

　　滿洲發達史　昭和10年 1月

鴨綠江

　　滿蒙地誌　　大正13年 4月

圖們江の水運

　　支那經濟地理誌　昭和3年 6月

日本人在東北的考古工作

　　邊疆建設　民國36年 1月

高句麗の長城

　　滿洲の古塔と古城　康德10年 4月

柳條邊墻址と威遠堡門(照片)

　　滿洲發達史　昭和10年 1月

滿洲孔子廟建築史略

　　滿洲學報　昭和7年 6月

柳條邊墻 とは何そ

　　滿洲發達史　　昭和10年　1月

柳條邊之沿革

　　滿洲之柳條邊　　康德8年　3月

滿洲の石城

観光東亞　昭和17年　1月

馬占山氏

新滿洲國讀本　昭和7年　10月

奉天省市縣叢人口數與學齡兒童統計表(大同元年度)

文教月刊　大同2年　6月

奉天省農戶狀態調查表

民政月刊　康德3年　3卷5號

奉天省道, 縣面積人口統計

滿蒙全書　1卷　大正11年　11月

奉天省土地所有面積別地主數調查表

民政月刊　康德3年　3卷5號

奉天地方の農作物

滿蒙　大正15年　8月

奉天省に於ける五大農作物粗收入

滿洲特産月報　昭和13年　11月　3卷11號

都邑別戶口數(奉天省)

第二次滿洲帝國年報　昭和10年　1編

馬占山討伐戰
　滿洲建國と五省の富源　昭和7年11月

奉天省文教統計
　滿洲國文教年鑑　康德元年 3月

奉天省學校敎育
　滿洲帝國文敎部第二次年鑑　康德2年 12月

全國小學校經費表
　滿洲國學事要覽　康德3年

各省市別小學校及學生數表
　滿洲國學事要覽　康德3年

奉天省各縣敎育經費統計表
　奉天省各縣敎育視察報告書　大同2年 6月

奉天省市縣叢人口數與學齡兒童統計表(大同元年度)
　文敎月刊　大同2年 6月

奉天省各縣中等，小學開學狀況統計一覽表
　文敎月刊　大同2年 6月

各縣小學校，各年期學級及兒童數調查統計表
　奉天省各縣敎育視察報告書　大同2年 6月

全省學校教育統計表

最近奉天省教育統計表　昭和6年

省立學校教育統計表

最近奉天省教育統計表　昭和6年 1月

各縣教育會調査表

奉天省各縣教育視察報告書　大同2年 6月

南滿洲の宗教(2)

滿蒙之文化　大正12年 1月

南滿老會

宗教調査資料 7輯　康德7年 12月

滿洲基督教長老會概況

宗教調査資料 7輯　康德7年 12月

東亞傳道會

宗教調査資料 7輯　康德7年 12月

天主公教教堂概況

宗教調査資料 7輯　康德7年 12月

基督教復臨安息日會概況

宗教調査資料 7輯　康德7年 12月

傳教機關一覽表

宗教調査資料 7輯　康德7年 12月

南滿老會

宗教調査資料 7輯　康德7年 12月

奉天省宗教調査統計表

奉天省宗教調査統計表　大同2年 5月

教育機關統計表

宗教調査資料 7輯　康德7年

奉天省居留外國人國籍別人員表

民政部半月刊　康德元年 4月

明, 遼東地方圖(遼東誌)

滿洲國歷史　昭和8年 9月

柳條邊墻

熱河　昭和8年

奉天(瀋陽)

鮮滿の車窓から　大正13年 7月

蘇家屯

滿蒙の旅　康德7年

奉天市(人口自然增加數)

滿洲の人口問題　昭和14年

主要都市人口統計(奉天)

民政月刊 4號

蘇家屯近傍

滿洲寫眞帖　1927年

滿洲基督教聯合會

滿洲國の宗教　康德6年

滿洲基督教長老會現勢

宗教調査資料 7輯　康德7年

滿洲基督教會

滿洲の宗教　康德6年

奉天基督教神學院

滿洲に於ける外人經營文化事業調査　昭和12年3月

高句麗の新城發見

滿蒙　昭和8年 9月號

鴻臚井の遺跡

滿支旅行年鑑　昭和15年

輯安高句麗舞踊家冢獵壁畵
鷄冠壺　康德11年 10月

大和尙山(照片)
滿洲國旅行案內　昭和7年

南滿の高句麗城
寬廣東亞　昭和17年 1月

卑沙城
滿洲の古塔と古城　康德10年 4月

石河の石城
滿洲の古塔と古城　康德10年 4月

外國人經營の宗敎團體數一覽
南滿洲に於ける宗敎槪觀　昭和5年

高句麗の城郭と撫順新城
觀光東亞　昭和17年 1月　9卷1號

撫順"高句麗城址"の陶片
滿蒙　昭和9年 3月

桓仁縣人口自然增長數
滿洲の人口問題 昭和14年

安東省

満洲國現勢　康德2年

安東市

年刊満洲　康德8年

安東

鮮満の車窓から　大正13年 7月

安東

満洲年鑑　昭和13年　昭和15年　昭和17年　昭和19年

安東

満洲地誌研究　昭和5年 7月

安東(丹東市)

満洲の旅　康德7年 11月

安東縣

満洲國地方誌　康德7年 11月

安東縣

満蒙地誌　大定13年 4月

安東縣(附圖)

満洲國旅行案內　昭和7年

安東省石斗城(附圖)

　　文敎月刊　康德元年 6月

安東縣(圖)

　　地方敎育狀況調査報告書　康德2年

安東市街(圖片)

　　滿洲讀本　昭和16年 4月

安東縣

　　滿支印象記　昭和18年 7月

安東營口北鮮三鮮港三品輪移出数量

　　滿洲特産月報　昭和11年 10月

鴨綠江の鐵橋 と 筏(照片)

　　滿蒙遊記　昭和5年 5月

安東縣特殊梁架設備支辨工事內譯(八號內譯)

　　安東省公報　康德3年 2月 5號

特殊橋梁設設備(地方吐木事業費)支辨工事統括表(3號表)

　　安東省公報　康德3年 2月

外國人宣布 と 宗敎(沿革)

　　南滿洲に於ける 宗敎槪觀　昭和6年

在滿朝鮮人敎育調査表

宗敎調査資料 7輯　康德2年 7月

滿洲基督敎信義會槪況(康德5年)

宗敎調査資料 7輯　康德7年 12月

挽住基督敎長老會現勢

宗敎調査資料 7輯　康德7年

高麗門(高麗城址, 靑峰山)

滿洲の旅　康德7年 11月

滿洲基督敎東亞基督隊槪況(康德6年1月末現在)

宗敎調査資料 7輯　康德7年 12月

滿洲基督敎眞耶蘇敎會槪況

宗敎調査資料7輯　康德7年

外國人宗敎單體經營の社會事業及敎育事業一覽

南滿洲に於ける宗敎槪觀　昭和5年

滿洲基督敎長老會現勢(營口)

宗敎調査資料 7輯　康德7年

外國人宣布の宗敎(沿革)

南滿洲に於ける宗敎槪觀　昭和6年

南滿の高句麗城(建安城—盖平の東北15里考慮城子)
　寬廣東亞　昭和17年 1月

遼陽基督教病院, 私立們德初級小學校, 私立三育女子初級中學校
　南滿に於ける外人經營文化事業調査　昭和12年 3月

遼陽天主堂施藥院, 孤兒院, 養老院
　南滿に於ける外人經營文化事業調査　昭和12年 3月

外國人宗敎團體經營ㇰ社會事業及敎育事業一覽
　南滿洲に於ける宗敎槪觀　昭和5年

南滿の高句麗城(白岩城 —遼陽ㇰ東六十滿里燕州城)
　觀光東亞　昭和17年 1月

鐵岭縣人口自然增加數
　滿洲の人口問題　昭和14年

鐵岭市學校敎育統計表
　最近奉天省敎育統計表　1931年 1月

外國人宣布の宗敎沿革
　南滿洲に於ける宗敎槪觀　昭和5年

外國人宣布の宗敎沿革
　南滿洲に於ける宗敎槪觀　昭和6年

朝陽縣圖

地方教育狀況調査報告書　康德3年

朝鮮耶蘇教東洋宣教會聖潔教會槪況

宗教調査資料 7輯　康德7年

朝陽縣基督教會

滿洲の宗教　康德6年

吉敦鐵道

新滿洲國讀本　昭和7年 10月

縣別土地使用狀態

滿洲の人口問題　昭和14年

滿洲に於ける水田の現狀

滿洲之文化　大正10年 12月

吉林省各縣之戶口

北滿半月刊　康德元年 8月　5卷14號

吉林省東北部匪賊と蘇聯

滿洲評論　昭和9年 5月

吉林地方事務所管內(蛟河, 樺甸, 盤石, 汪淸, 延吉, 永吉, 敦化, 琿村, 拉法)

滿洲開拓年鑒 康德8年

吉林黑龍江移民問題硏究(各地移民歷史, 人口, 面積, 開銷等)

東省經濟月刊 民國19年 3月

吉林省敎育會調査表

滿洲國文敎年鑒 康德元年 3月

吉林省學校敎育

滿洲帝國文敎部第二次年鑒 康德2年

各省市別小學校數, 學級數及敎員數表

滿洲國學事要覽 康德3年

省別省立中學校

滿洲國學事要覽 康德3年

吉林省宗敎

滿蒙全書 1卷 大正11年 11月

滿洲國宗敎統計表

禮敎事業槪況 大同元年

布教者及敎民一覽表

宗敎調査資料　7輯　康德7年

天主公敎敎堂槪況

宗敎調査資料7輯　康德7年

基督敎經營敎育事業

宗敎調査資料　7輯　康德7年

基督敎朝鮮監理會

宗敎調査資料　7輯　康德7年

東亞基督隊

宗敎調査資料　7輯　康德7年

吉林神學校學則

宗敎調査資料　7輯　康德7年

基督敎男女布敎者養成機關一覽

宗敎調査資料　7輯　康德7年

滿洲基督敎長老會槪況

宗敎調査資料　7輯　康德7年

基督敎各派總會事務所一覽表

宗敎調査資料　7輯　康德7年

朝鮮基督教會槪況

　　宗教調査資料　7輯　康德7年

朝鮮基督教長老會所在地

　　宗教調査資料　7輯　康德7年

基督教各派總會事務所一覽表

　　宗教調査資料　7輯　康德7年

主要基督教社會事業

　　宗教調査資料　7輯　康德7年

吉林省在外留外國人國籍人員表

　　民政部半月刊　康德元年4月

新京市內人口調

　　新京商工月報　康德5年8月

新京特別市臨時戶口調査

　　民政部半月刊　康德元年3月

長春朝鮮靑年同盟訪問記

　　東北靑年　民國34年　11月

滿鮮拓植株式會社

　　滿洲國策會社綜合要覽

建國大學

滿洲の文化　昭和18年 7月

各省市別小學校, 學級數及教員數表

滿洲國學事要覽　康德3年

在滿朝鮮人敎育調査表

宗敎調査資料 7輯　康德2年 7月

外國人宗敎團體經營の社會事業及敎育事業一覽

南滿洲に於ける宗敎槪觀　昭和5年

基督敎復臨安息日槪況

宗敎調査資料 7輯　康德7年11月

永吉縣大屯甲鮮農部落お訪ねて

滿洲評論　昭和11年

韓外邊

滿洲地誌　下卷　大正8年

盤石縣治安槪況

民政部半月刊　康德元年　4月

盤石縣集團部落建設狀況

民政部半月刊　康德元年　4月

盤石縣國民學校　國民優級學校

　滿洲國初等敎育施設一覽表　　康德6年　11月

東部京圖線の特質

　滿蒙　昭和11年　2月

懷德縣人口自然增加數

　滿洲の人口問題　昭和14年

東邊道の由來

　東邊道案內　昭和15年

通化省に於ける五大農作物粗收入

　滿洲特産月報　昭和13年　11月

東邊道に於ける匪賊ノ動向

　第一回滿洲硏究團報告　康德元年　12月

治安槪況

　宣撫月報　康德6年　4月

朝鮮人移民

　第三次民政年報　康德3年

東邊道敎育の變遷

　滿洲國少數民族敎育事情　康德元年　3月

滿洲基督敎東亞基督隊槪況

宗敎調査資料 7輯 康德6年

東邊道に於ける宣傳宣撫工作主に臨江縣を中心 として

宣撫月報 康德6年4月

臨江縣學校分布圖

地方敎育槪況調査報告書 康德2年 3月

東三省地主耕地一覽表

滿洲發達史 昭和10年 1月

仙人溝, 硫口街, 紅石拉子, 弧山子, 通溝, 勝水河子, 三源浦, 樣子哨, 邊沿街, 南山城子,

滿蒙都邑全誌 上卷 大正15年

柳河縣學校敎育統計表

最近奉天省敎育統計表 1931年 1月

柳河縣國民學舍, 國民義塾, 國民學校, 國民優級學校

滿洲國初等敎育施設一覽表 康德6年 11月

柳河縣人口自然增加數

滿洲の人口問題 昭和14年

海龍縣學校敎育統計表
　最近奉天省敎育統計表　1931年

輯安縣區村統計
　民政部半月刊　康德元年 7月　2期10號

輯安縣學校敎育統計表
　最近奉天省敎育統計表　1931年 1月

輯安古跡保存館
　滿洲の文化　昭和18年 7月

高句麗の死亡
　滿洲兩千年史　康德9年 8月

鴨綠江之過去現在與將來
　旬報　康德7年 7月　15號

輯安の好太王碑(照片)
　滿洲兩千年史　康德9年 8月

輯安高句麗好太王碑
　滿支史說史話　昭和14年 9月

安東省輯安縣城附近高句麗の遺跡
　滿蒙　昭和10年 9月號

南滿の高麗省(國內城-輯安北滿里山城子)

觀光東亞　昭和17年 1月　9卷 1月號

高句麗の壁畵

滿蒙考古學槪說　康德11年 6月

山城子山城內跡址(照片)

滿洲國安東省輯安縣高句麗遺跡　康德9年 9月

通溝平野

滿洲國安東省輯安縣高句麗遺跡　康德9年 9月

廣開土王陵(將軍墳)

滿洲國安東省輯安縣高句麗遺跡　康德9年 9月

高句麗の古墳

滿洲國安東省輯安縣高句麗遺跡　康德9年 9月

鴨綠江流域經濟事情調查

滿蒙之文化　大正10年3月號　大正10年 4月號

金川縣人口自然增加數

滿洲の人口問題　昭和14年

金川縣國民學舍, 國民義塾, 國民學校, 國民優級學校

滿洲國初等敎育施設一覽表　康德6年 11月

長白縣城

滿蒙都邑全誌 上卷 大正15年

長白縣

東邊道案內 昭和15年

長白縣城(長白府)

滿蒙全書 7卷 大正12年 12月

白頭山

滿洲の地質及鑛山 昭和14年 12月

地下組織外廓團體の檢擧覆滅

宣撫月報 康德6年 4月

鮮滿の國境一間島問題の起因

滿洲通史 昭和10年 4月

長白縣學校分布圖

地方教育概況調査報告書 康德2年 9月

長白縣國民學舍, 國民義塾, 國民學校, 國民優級學校

滿洲國初等教育施設一覽表 康德6年 11月

長白山定界碑

滿洲史 康德10年 12月

鴨綠江流域經濟事情調査

　滿蒙之文化　大正10年 4月號

高句麗, 遼

　滿洲夜話　康德9年 7月

滿洲基督教聯合會

　滿洲の宗教　康德6年

洮南"高麗古城"

　觀光東亞　昭和17年 1月　9卷 1月號

間島地方

　新滿洲國讀本　昭和7年 10月

間島省

　洲國現勢　康德2年 康德3年　康德6年　康德8年　康德9年, 康德10年

間島省

　滿洲年鑒　昭和15年

間島省經濟界の現(二), (三)

　滿蒙　昭和10年 4月號, 昭和10年 5月號

間島農業の概要

　　滿蒙　昭和11年 7月號

間島省の自衛團

　　滿洲國現勢　康德2年

間島共匪の行方

　　滿洲國現勢　康德2年

間島に關する協約

　　滿蒙講座 上卷　昭和8年 5月

朝鮮人移民

　　第三次民政年報　康德3年

間島教育の變遷

　　滿洲少數 族教育事情　康德元年3月

間島省學校教育

　　滿洲帝國文教部第二次年鑑　康德2年

朝鮮基督教概況

　　宗教調査資料 7輯　康德7年

間島省管內狀況槪要

　　民政部月刊　康德2年 5月

東滿間島地方(延吉, 琿春, 和龍, 汪淸の四縣)集部落

南岭　康德3年 1月

間島政況

民政部半月刊　大同3年 1月

間島省の山城土城

寬廣東亞　昭和17年 1月

延吉

滿洲年鑒　昭和13年, 昭和15年

局子街

滿蒙都邑全誌 下卷　大正15年,　滿蒙之文化　大正9年 9月

延吉縣

滿洲國地方誌　康德7年,　最新滿洲地誌 下篇　大正8年,　滿蒙地誌大正13年

老斗溝

滿蒙之文化　大正9年 9月　1號

東咸涌, 朝陽川, 龍井村, 銅佛寺, 斗道溝, 天寶山

滿夢都邑全誌 下卷　大正15年

延吉縣人口自然增加數

　滿洲の人口問題　昭和14年

老斗溝

　最新滿洲國案內　昭和7年

滿洲國南京

　滿蒙全書 1卷　大正11年 11月

天圖輕邊鐵道

　滿蒙地誌　大正13年

朝鮮開線(朝陽川–開山屯)

　滿洲國年報　康德3年 5月

龍井村貿易

　滿洲國年報　康德3年 5月

延吉縣外龍春洞部落に於ける農家收支

　南岭　康德4年 5月

延吉縣

　農村實態調查報告書 2分冊　康德3年度

東滿地方に於ける農村の現狀と"集團部落"建設の重要性(二, 三, 四, 完)

滿洲評論　昭和10年　5月　8卷　19號

間島に於ける共産主義運動の新動向(上, 下)

滿洲評論　昭和10年　5月　8卷　19號

龍井

國線沿線諸機關施設一覽表　昭和10年　3月

朝陽川

國線沿線諸機關施設一覽表　昭和10年　3月

中共東滿特委の方向轉換

滿洲評論　昭和11年　11月

共匪地帶牧丹江から延吉へ

滿洲評論　昭和11年　11月　11卷　21號

延吉縣, 市救濟院, 遊民習藝所

民政部月刊　康德2年　3月

延吉縣內各種學校統計表

文敎月報　康德2年　9月　2號

延吉

國鐵沿線福祉施設幷風敎調査表　昭和13年　2月

龍井

國鐵沿線福祉施設幷風敎調査表　昭和13年　2月

間島新報社

動く滿洲言論界全貌　昭和11年　1月

朝鮮耶蘇敎東洋宣敎會聖潔敎會槪況

宗敎調査資料　7輯　康德7年

滿洲基督敎東亞基督隊槪況

宗敎調査資料 7輯　康德6年

龍井市敎所

滿洲開敎紀要　康德6年

吉林省延吉縣河川調査表

民政部半月刊日譯　康德元年 3月 2期 2號

會寧より龍井市

滿蒙　昭和3年 12月號

間島省の山城土城

東亞觀光　昭和17年 1月　9巻 1月號

老斗溝, 局子街, 天寶山, 銅佛寺

滿蒙の旅囊　大正7年

渤海の壁畵(東京城白廟子)

滿蒙考古學槪說　康德11年 6月

渤海の東京龍原府址

滿蒙の古塔と古城　康德10年 4月

延吉縣內の遺跡遺物

間島省古迹調查報告　康德9年 9月

圖們繁昌記

滿蒙　昭和9年 9月號

京都圖線を街く

滿蒙　昭和8年 11月號

圖們稅關

滿洲國稅關槪史　康德11年

圖們

國鐵沿線諸機關施設一覽表　昭和10年 3月

圖們

國鐵沿線福祉施設幷風敎調查表　昭和13年 2月

朝鮮耶蘇教東洋宣教會聖潔教會概況

宗教調査資料 7輯 康德7年

和龍縣

滿洲國地方誌 康德7年 , 最新滿洲地誌 下篇 大正8年 , 滿蒙
都邑全誌 下卷 大正15年, 滿蒙地誌 大正13年

和龍縣人口自然增加數

滿洲の人口問題 昭和14年

和龍縣斗道村坪屯及進化屯槪況

主要農産物生産費に關する調査報告書   康德9年 8月

農村の理想型考察の一資料とにの"百日坪"集團部落を介紹す

南岭 康德4年   3月號

水坪, 松下坪集團部落略圖

民政部月刊 康德元年   10月 1卷 3月號

和龍縣

民政部月刊 康德元年   4月 2期 3號

和龍縣國民學校, 國民優級學校

滿洲國初等教育施設一覽表   康德6年 11月

靈壽寺立民衆學校

禮敎資料滙輯　大同2年　11月

和龍縣水害狀況

民政部月刊　康德元年　10月　1卷　2號

汪淸縣

滿洲國地方誌　康德7年, 最新滿洲地誌　下篇　大正8年, 滿蒙地誌　大正13年

羅子溝地方一般狀況

民政部月刊　康德3年　2卷　7號

汪淸縣人口自然增加數

滿洲の人口問題　昭和14年

汪淸縣

行政區劃總攬　康德7年　6月

百草溝

滿洲鑛工年鑑　康德11年　1月

汪淸縣國民學校, 國民優級學校, 國民義塾

滿洲國初等敎育施設幷風敎調査表　昭和13年　2月

安圖事情

滿蒙之文化 大正11年 11月 3年 11月號

秘境, 安圖縣の全貌

滿蒙 昭和10年 7月號, 昭和10年 8月號

安圖縣人口自然增加數

滿洲の人口問題 昭和14年

安圖縣學校敎育統計表

最近奉天省敎育統計表 1931年

琿春

滿蒙都邑全誌 下卷 大正15年, 滿洲國地方誌 康德7年, 最新滿洲地誌 下篇 大正8年, 滿蒙地誌 大正13年, 滿蒙全書 7卷 大正12年 12月

琿春地方(山東移民)

滿洲地誌 下卷 明治39年

琿春縣

行政區域總覽 康德7年 6月

滿蘇國境の東南端に就いて

滿洲地理点描 昭和14年

琿春縣國民學舍, 國民義塾

　　滿洲初等教育施設一覽表　康德6年 11月

琿春縣內各種學校統計表

　　文敎月報　康德2年 9月

東亞基督隊琿春縣

　　宗敎調査資料 7輯　　康德7年

半拉城子の土城

　　觀光東亞　昭和17年 1月

滿洲國古迹傳說之考證(琿春)

　　民生　康德7年　3卷 4號

東京龍原府址(間島省琿春古土城)附近形勢圖

　　渤海國小史　康德6年 11月

西古城子土城

　　滿洲の古塔と古城　康德10年 4月

琿春縣內の古迹

　　間島省古迹調査報告　康德9年 9月

敦化

　　滿洲年鑑　昭和13年

敦化縣

　最新滿洲地誌 下篇　大正8年

敦化縣

　滿蒙地誌　大正13年

額穆縣(額穆索)

　滿蒙全書 7卷　大正12年 12月

額穆縣人口自然增加數

　滿洲の人口問題　昭和14年

吉長方面主要工場種類一覽表

　滿蒙全書 4卷　大正11年 2月

敦化縣收穫高調查表

　滿鐵調查月報　昭和10年 3月

敦化縣宣撫工作狀況日記

　弘宣　康德7年 1月

敦化

　國鐵沿線福祉施設幷風敎調查表　昭和13年 2月

敦化縣水害狀況

　民政部月刊　康德元年 10月 1卷 2號

縣別農家一戶當幷農業人口一人耕作面積(黑龍江省)

滿洲の人口問題　昭和14年

北滿洲の水田事業

滿蒙　昭和3年 8月號

天主教教堂槪況

宗敎調査資料 7輯　康德7年 12月

外人經營初等學校統計

宗敎調査資料 7輯　康德7年 12月

各種事業一覽表

宗敎調査資料 7輯　康德7年

朝鮮基督敎長老會所在地

宗敎調査資料 7輯　康德7年

東省特別區宗敎

滿洲國文敎年鑑　康德元年3月

基督敎開拓農村敎會所在地槪況

宗敎調査資料 7輯　康德7年 5月

北滿基督敎會

宗敎調査資料 7輯　康德7年

南滿基督教浸信會

宗教調査資料 7輯　康德7年

滿洲基督教長老會槪況

宗教調査資料 7輯　康德7年 12月

滿洲基督教監理公會槪況

宗教調査資料 7輯　康德7年

北滿基督教會會名及所在地

宗教調査資料 7輯　康德7 年12月

滿洲基督教聯合會

宗教調査資料 7輯　康德7年

主要基督教社會事業一覽表

宗教調査資料 7輯　康德7年

基督教朝鮮監理會

宗教調査資料 7輯　康德7年

哈爾濱

滿支旅行年鑑　昭和14年

哈爾濱

滿鮮の車窓から　大正13年 7月

民國十九年之吉黑兩省移民運動
　　東省經濟　　民國19年 5月 6卷 4,5合刊

北滿開拓民の狀況(附圖)
　　北滿事情　　康德7年 4月

哈爾濱在留外國人國籍人員表
　　民政部半月刊　康德元年 4月

北滿特別社會教育
　　滿洲帝國文教部第二次年鑒　康德3年

天主公教略史
　　宗教調查資料 7輯　康德7年

滿洲基督教監理公會
　　宗教調查資料 7輯　康德7年 12月

滿洲基督教會槪況
　　宗教調查資料 7輯　康德7年

上京會寧府の遺址
　　吉林浜江兩省に於ける金代の史迹　康德9年 9月

牧丹江省
　　滿洲國現勢　康德8年

共匪地帶, 濱綏線を往く

滿洲滿洲評論   昭和11年 11月

牧丹江市

年刊滿洲   康德8年

朝鮮耶蘇教東洋宣教聖潔教會槪況

宗教調査資料 7輯   康德7年

北滿基督教會

宗教調査資料 7輯   康德7年

穆棱縣

支那農民の北滿植民と其前途   昭和6年 4月

穆棱縣

最新滿洲地誌 下篇   1919年

穆棱縣

滿洲國地方誌   1940年

穆棱, 穆棱驛

滿蒙都邑全誌 下卷   1926年

穆棱村落, 戶數

國稅   康德3年 3月

各縣人口統計
民政月刊　康徳3年 10月

密山縣內朝鮮農民の現代と其政策
南岭　康徳3年 2月號

寧安縣
滿洲國地方誌　1940年

寧安縣
最新滿洲地誌 下篇　1919年

寧安縣城(寧古塔)
滿蒙全書 7卷　大正12年 12月

東京城
滿蒙都邑全誌 下卷　大正15年

東京城
滿蒙全書 7卷　大正12年 12月

寧安縣人口自然增加數
滿洲の人口問題　1939年

寧安縣治安財政概況
民政部半月刊　康徳元年 4月　2期 4號

最近寧安縣農況之調査
北滿半月刊　康德元年 8月　5卷 15號

渤海の興亡
滿洲兩千年史　康德9年 8月

上京龍泉府址の發掘
北滿風土雜記　昭和13年

東京城
滿支旅行年鑒　昭和15年

上京址出土花文博拓影
渤海國小史　康德6年 11月

渤海時代の石燈籠(附照片)
北滿風土雜記　昭和13年

渤海城門の址(附照片)
滿蒙の探査　昭和3年

渤海國東京府
滿蒙全書 1卷　大正11年 11月

寧安縣國民學舍, 國民學校, 國民優級學校
滿洲國初等教育施設一覽表　康德6年 11月

寧安縣水害狀況

　民政部月刊　康德元年 10月　1卷 2號

滿洲に於ける水田の現狀

　滿蒙之文化　大正10年 12月號

東寧縣

　滿蒙地誌　1924年

東寧縣

　最新滿洲地誌 下篇　1919年

東寧縣人口自然增加數

　滿洲の人口問題　昭和4年

東寧縣城(三岔口)

　滿蒙全書 7卷　大正12年 12月

東寧縣學區圖

　地方教育狀況調查報告書　康德4年 1月

移民(佳木斯所見)

　滿洲國現勢　大同2年

勃利縣

　松花江沿岸地方經濟事情　大正10年

勃利縣

滿洲國地方誌   康德7年 11月

勃利縣槪要

民政部月刊   康德元年 10月   1卷 2號

吉林省內三姓, 勃利地方經濟事情(1-4)

滿鐵調査月報   昭和10年   15卷 4號

勃利縣

地方敎育狀況調査報告書   康德4年 1月

綏芬河事情

滿蒙   昭和9年 3月號

綏化縣

最新滿洲地誌 下篇   大正8年 5月

濱江省に於ける五大農作物粗收入

滿洲特産月報   昭和13年 11月 3卷 11號

五常縣

最新滿洲地誌 下篇   大正8年

五常縣人口自然增加數

滿洲の人口問題   昭和14年

東三省地主耕地一覽表

滿洲發達史　昭和10年 1月

10. 社會, 統計, 植民

南滿に於ける外人經營文化事業調査

　滿鐵地方譯(蔡沼强)編　大連　昭和12年

滿洲の人口問題

　滿鐵北滿經濟調查所(民崎西鄉)編　大連　昭和14年

滿洲勞動問題文獻目錄

　南滿洲鐵道株式會社調查部

開拓に於ける雇用勞動事情調查

　滿洲開拓研究所編　康德8年

敦化團體槪要

　(滿)民生部敦化科編　新京　康德9年

滿蒙雇用勞動事情調查

　滿洲國立開拓研究所(羅錫勝)編　新京　康德8年

最近北滿の思想運動

　日本通信社編　東京　昭和9年

吉林省統計年報　康德1年度

(滿)吉林省公署總務科編　新京　康德3年

滿洲國年報(第一次)(日文)

(滿)國務院統計處編　大連　昭和5年

滿洲國年報(第一次)

(滿)國務院統計處編　新京　大同2年

滿洲國年報(第一次)(日文)

(滿)統計處編　大連　大同2年

滿洲國年報(日譯)

(滿)　統計處編　新京　康德2年

滿洲國在留本邦人人口統計圖

外務省東亞局編　東京　昭和11年

日本人(滿洲國在留)人口統計

(滿洲國)臨時人口調査報告書(第1,2次)統括編

(滿)統計處編　新京　康德5年

(滿洲國)臨時人口調査報告書(第1次)

都邑編第3-第4卷(3-奉天省, 4-吉林市)

(滿)統計處編　新京　康德2年, 康德5年

(滿洲國)人口調查報告書(第1次臨時)

都邑編　第1卷　新京特別市
(滿)統計處編　新京　康德4年

滿洲帝國現住戶口統計(康德6年末)

治安部警務司編　新京　康德7年

滿洲帝國現住人口統計(叢編及年齡別編)

警務廳統計處, 警務司共編　新京　康德11年

滿洲帝國職業別人口統計

滿鐵新京支社調查室編　新京　昭和16年

滿洲帝國現住人口統計(叢編及年齡別編)

警務廳統計處, 警務司共編　新京　康德9年

關東廳人口動態統計(昭和元年)

關東廳長官官房文書課編　昭和2年, 昭和3年

國勢調查世帶及人口(昭和5年)

關東長官官房臨時國勢調查課編　昭和6年

滿洲國人口(大同元年12月末)

(滿)國務院統計處編　新京　大同2年

滿洲國現在戶口數(大同元年12月末)
(滿)國務院統計處編   新京   大同2年

(滿洲國)現在戶口統計(大同元年末)
(滿)國務院統計處編   新京   大同2年

(滿洲國)現在戶口統計(大同元年末)
(滿)國務院統計處編   新京   康德4年

滿洲帝國現住戶口統計(康德2-3年)
(滿)國務院統計處編   新京   康德3-4年

滿洲帝國面積及人口統計
(滿)國務院統計處編   民政部土地局   新京   康德2年

滿洲帝國人口統計   康德元年末
滿洲統計協會   新京   康德2年

主要都市戶口數
民政部總務司資料科   康德3年12月末現在

滿洲帝國年齡別人口推計統計(康德2年末)
國務院總務廳統計處   康德4年2月

南滿及東蒙朝鮮人事情

在外朝鮮人事情研究會編　京城　大正11年(在外朝鮮人事情臨時增刊號)

南滿及間琿朝鮮人事情(在外朝鮮人事情臨時號)

京城府　在外朝鮮人事情研究會　大定12年

滿蒙拓植研究(人口問題を基調として)

木下通敏看　外務省通商局編　東京　昭和2年

在滿鮮人壓迫問題調查

滿蒙研究會編　大連　昭和3年

民國十七年の滿洲出稼者

滿鐵調查課編　大連　昭和4年

在滿鮮人論策

赤塚正朝　大連　昭和5年

日本人開拓農家の適正規模に關する究

松野　傳著　奉天農業大學編　奉天　康德7年

東三省移民開墾意見書

清鮮希齡　宣統2年

滿洲出稼移民動狀況

滿鐵調查課編　大連　昭和3年

間島に於ける朝鮮人問題に就いて

（日）　天野元之助著　大連　中日文化協會　昭和6年

在滿朝鮮人の窮狀 と其の解決策

（朝鮮)金三民　大連　昭和6年

滿洲國移住指針

河西惟一　東京　昭和7年

滿蒙移民問題

平貞藏　動徑　昭和8年

在滿朝鮮人問題に關して日本官民に想ふ

權泰山　大連昭和8年

關東州農業者移住手引

大連農事株式會社編　大連　昭和4年

滿洲植民の檢討

田代名兵衡(蘆村)　東京　昭和7年

在滿朝鮮人事情　大同二年8月

（滿)民政部調查科編　新京　大同2年

滿洲の朝鮮人

　(日)田原茂著　奉天　滿洲朝鮮人親愛議會本部　大正12年

滿蒙の米作 と 移住鮮農問題

　昭和2年10月

滿洲移民の現勢

　眞鍋正郎　大連　亞細出版協會　昭和12年

滿洲及西佰利亞移住案內

　吉川鐵華　東京　大正7年

滿洲國への邦人農業移民

　大藏公望　東京　2版　昭和7年

自由開拓人口統計表(昭和14年7月1日現在)

　拓務省　拓務局編　東京　昭和15年

滿蒙問題(朝鮮問題を通して見たる)

　崔棟　京城　昭和7年

日本人口糧食問題と 滿鮮經論

　十葉風治　東京　大正11年

民國十六年の滿洲出稼者

　滿鐵調査課編　大連　昭和2年

滿洲國企業移民就職指針

--新國家入國案內--

新天地同人編　東京3版　劇提社　昭和7年

北滿移住地視察記

北滿移住地視察團編　東京　滿洲移住協會　昭和12年

滿蒙移民器官の事業及資金

高岡熊雄　上原瀨三郎著　日本學術振興會編　東京　昭和13年

在滿朝鮮人現勢圖

在滿日本大使館編　昭和11年

墾政輯覽

(民)桑哈爾全區墾務總局編　民國6年

滿洲移民 と 實績調査

潛香未起著　日本學術振興會編　東京　昭和12年

滿洲移民大觀

滿洲農業團體中央會編　大連　昭和13年

北滿移民地を訪ふ

山形縣拓務協會編　山形　昭和12年

北滿拓植移民事業計劃書

　滿鐵, 北滿經濟調査所(阿部武志)編　哈爾濱　昭和13年2月

國策滿洲移民

　菱沼右一, 本忖試　東京　4版　中央情報社　昭和13年

滿洲移民提要

　(日)前川議一編纂　奉天　昭和13年

滿洲農業移民方策

　滿鐵經濟調査會編　大連　　昭和11年

在滿朝鮮總督府施設記念帖

　朝鮮總督府編　京城　昭和15年

滿洲農業開拓民入植計劃と其實績

　(滿)開拓總局計劃科編　新京　康德7年

開拓民に關する資料的調査研究(中間報告)

　東亞研究所　昭和16年　4月

開拓民問題

　入江久夫著　滿鐵弘報課編　東京　中央論社　昭和5年

統監府時代に於ける間島韓民保護に關する施設

　朝鮮總督府文書課編　京城　昭和5年

滿洲開拓政策關係法規
(日)拓務省　拓北局編　昭和16年

近世滿洲開拓史
滿洲事情案內所編　新京　康德8年

滿洲開拓民に關する資料的調査決定報告
東京　東亞硏究所　昭和16年

滿洲開拓農村の設定計劃
(日)岡川永義著　昭和19年

開拓三代記
阪本牙城　新京　滿洲事情案內所　康德7年

商租地に關する調査

東北移民問題
王海波編　上海　中華書局　民國21年

滿蒙の朝鮮人(更生途上にある)附錄(滿洲國資源調査書)
三浦東輝編　奉天　京城　滿洲新民團　魚德莊　昭和9年

滿洲開拓民農業經營と農家生活
安田太次郞著　東京　大同印書館　昭和17年

滿洲開拓公社と 滿洲移住地

滿洲拓植公社 東京支社編　　昭和13年

在滿朝鮮人の現況

滿鐵調査課編　大連　大正12年

全滿朝鮮人民會聯合會總會槪況(第5回)

全滿朝鮮人民聯合會編　奉天　昭和8年

昭和十年度身分證明發給各種統計表

大東公社　昭和11年3月

滿蒙農業移民機關の形態

高岡熊雄, 上原瀨三郎著　日本學術振興會編　東京　昭和11年

北滿に於ける 朝鮮人移民の流入及定着事情

哈爾濱鐵路局　北滿經濟調査所　　康德3年7月

(拓務省)滿洲農業移民の現況

拓務省拓務局編　東京

滿洲移民の重要性

永田秀次郎　東京　拓務省　昭和11年

朝鮮農民の滿洲移住問題

東洋協會調査部編　東京　昭和11年

滿洲地方に於ける朝鮮人の經濟及金融狀況
朝鮮銀行調査部編　大連　大正10年

滿洲の農業移民
滿鐵農課務編　大連　昭和7年

滿洲移民の重要性幷に滿洲の集團移住地に就いて
全國經濟調查機關聯合會編　東京　昭和11年

北滿に於ける移民農業經營標準案
拓務省東亞課編　東京　編所　昭和11年

滿洲農業移民槪況
拓務省東亞課編　東京　昭和11年

滿洲集團移住地の展望
中村孝二郎　東京　滿洲移住協會　昭和12年

農村更生と滿洲植民
西桓代次　東京　3版　滿洲移住協會　昭和12年

滿洲移民は成功する
川村和嘉治　大阪　大阪每日新聞社　昭和11年

滿洲移民の重大性
庶瀬壽助　東京　3版　滿洲移住協會　昭和11年

滿蒙農業移民機關の組織及監督

高岡熊雄, 上原轍三郎著　日本學術振興會編　東京　昭和12年

北滿農業移民情報

満鐵北滿經濟調査所編　哈爾濱　昭和12-13年
其1. 天理村移民團の近況　7月現在
其2. 昭和11年下半期に於ける第1次移民團彌榮村關勵組合の
運營業態
其3. 第2次移民團千張鄕に於ける農業經營事例
其4. 昭和12年度拓務省移民團農作物收穫量調査
其5. 移民訓練所の現況
其6. 拓務省移民團に於ける家屋建設狀況
其9. 北經經濟情報三人の第五報

特殊地帶拓植計劃案(其の1-4)

其1. 嫩江納河地方に於ける混同農法に依る移民設定計劃案
昭和12年9月
其2. 酒精釀造加味する穀作式混同農法に依る移民設定案　昭
和12年10月
其3. 養豚經營を主とする移民設定計劃案　昭和12年10月
其4. 乳牛を主とする酪農移民設定計劃案　昭和12年10月
(北經經濟資料　第73-第76號)　満鐵　北滿經濟調査所

北滿農業移民調査資料(其の1)

自由移民團天理村の農業經營事情
満鐵　北滿經濟調査所　昭和12年9月

滿洲農業移民視察案內

満鐵旅客課編　奉天　昭和12年

滿洲移民計劃實施要領(第1期)

拓務省 拓務局編   東京   昭和12年

滿洲移民 に就いて

宮崎縣廳編   宮崎   昭和13年

朝鮮人農業移民入植槪況   康德4年度

(滿)間島省公署譯   延吉   康德5年

滿洲拓民の現狀 と百萬戶入植計劃

滿洲拓植公社編   新京   康德6年

滿洲開拓農民入植圖   昭和14年2月現在

滿洲拓植公社編   新京   昭和14年

滿洲拓植公社關係法規

拓務省拓務局編   東京   昭和14年

滿洲農業開拓民入植圖   昭和14年4月現在

滿鐵調查部編   大連   昭和14年

滿洲開拓民研究文獻目錄

滿鐵總裁室弘報課   昭和16年

滿洲開拓槪要

(滿)開拓總局   新京   康德7年

滿洲開拓政策基本要綱

(滿)開拓總局編　新京　康德7年

滿洲開拓政策基本要綱

昭和14年7月

滿洲開拓政策基本綱要參考資料

昭和14年7月

開拓村に於ける農地配分の問題

（日）小西俊夫編　新京　開拓研究所　康德10年

滿拓の概要

丸岡治編　新京　滿洲開拓公社　康德10年

滿洲に於ける支那移住民に關する數回研究

滿鐵太平洋問題調査準備會編　編所　昭和6年

滿洲開拓の現狀

五十子卷著　新京　開拓總局　康德10年

滿洲拓植公社要覽

滿洲拓植公社　編所　康德5年

近現代史資料叢書 ⑯

한국관련 '滿鐵' 자료목록집

인쇄일 2004년 12월 15일
발행일 2004년 12월 20일
엮은곳 정신문화연구원
펴낸이 윤관백
펴낸곳 도서출판 선인
등 록 제5-77호
주 소 서울시 마포구 마포동 324-1 곳마루빌딩 1층
전 화 02) 718-6252
팩 스 02) 718-6253
E-Mail : sunin72@chol.com

ISBN 89-89205-86-7(93900)

정가 13,000원